D1643673

LIBRAIRIE DÉOM

38

Hubert Gérard
et Guillaume Wunsch

comprendre
la démographie

méthodes d'analyse
et problèmes de population

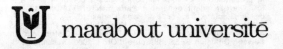

marabout université

Edition originale.

Ce volume est le deux cent quarantième
de la collection

marabout université

dirigée par Jacques Dumont
et Jean-Baptiste Baronian.

La couverture est de
Henri Lievens.

La direction technique de la collection
est assurée par André Comhaire.

© 1973, Gérard & Cº, Verviers.

Les collections Marabout sont éditées et imprimées par
GÉRARD & Cº, 65, rue de Limbourg, B-4800 Verviers
(Belgique). — Le label Marabout, les titres des collections et
la présentation des volumes sont déposés conformément à la
loi. Correspondant général à **Paris** : INTER-FORUM, 13, rue
de la Glacière, 75 - 624 - Paris Cedex 13. — Distributeur
exclusif pour le **Canada** et les **Etats-Unis** : A.D.P. inc., 955
rue Amherst, Montréal 132, P.Q. Canada. — Distributeur en
Suisse : Diffusion SPES, 39, route d'Oron, 1000 Lausanne 21.

L'effectif de la population et les dangers que suscite une croissance démographique trop faible ou trop élevée ont retenu l'intérêt des penseurs scientifiques et politiques de toutes les époques de l'histoire humaine, même si la population n'a pas constitué un problème social dans toutes les régions et à toutes les périodes.

A notre époque et à l'échelle mondiale, le problème d'une croissance démographique trop rapide se pose presque exclusivement en raison de la croissance des populations du Tiers monde représentant plus des deux tiers de l'humanité. De nombreux écrits tentent de nous mettre en garde contre les dangers de ce qu'on a appelé « l'explosion démographique », et les images, relevant peut-être quelque peu de la science-fiction, ne manquent pas pour souligner l'accélération actuelle de cette croissance et ce à quoi on peut s'attendre si celle-ci se maintient.

Le temps de doublement ou la durée de temps nécessaire pour un doublement de l'effectif total d'une population permet sans doute de concrétiser assez adéquatement cette accélération démographique. Entre 1650 et 1850, la croissance démographique correspondait à un doublement tous les deux cents ans, le temps de doublement était de cent ans entre 1850 et 1950, actuellement il est inférieur à trente-cinq années. En 1970, la population du globe était évaluée à 3 632 millions; si la croissance enregistrée au cours de cette année se maintenait constante, son effectif atteindrait près de 27 milliards en l'an 2070, et près de 232 milliards vers l'an 2180. Dans la même hypothèse, en l'an 2070, l'Inde compterait plus de 7 milliards d'habitants et le Pakistan, plus de 3 milliards…

Si l'on se persuade aisément du caractère irréalisable de ces images en invoquant une sorte d'équilibre naturel quelque peu mythique mais néanmoins rassurant, on ne peut pas nier qu'elles témoignent de la situation démographique actuelle de l'humanité et particulièrement de sa part la plus défavorisée. Dès lors, se pose le problème de connaître comment et pourquoi on est arrivé à cette situation, et ce que, objectivement, on peut prévoir de l'évolution future de la population humaine. Si vraiment la situation paraît critique, que peut-on faire pour y remédier? Que sont ces politiques antinatalistes proposées généralement comme la solution et quelle en est l'efficacité démographique, mais aussi, quels en sont les coûts non seulement économiques mais surtout sociaux?

Dans la partie développée du monde, le problème démographique se pose en termes différents. La croissance annuelle de la population est nettement plus faible, elle avoisine 1 %, ce qui entraîne un doublement en plus de soixante-dix ans. Toutefois, pour plusieurs pays européens, le problème que l'on pose souvent est celui du vieillissement de leur population. Avec une croissance démographique inférieure à 1 %, et souvent même fortement inférieure, et les effets d'un déclin séculaire de la natalité, ces populations ont une structure où la proportion des jeunes est faible et la proportion des personnes âgées élevée. Dans les populations jeunes, d'ordinaire dans les pays sous-développés, la proportion des personnes de moins de 15 ans est supérieure à 40 % et celle des personnes de 65 ans et plus est inférieure à 6 %. Dans les populations vieillies, en revanche, ces proportions sont respectivement inférieures à 25 % et supérieures à 10 %.

Si le vieillissement apparaît à certains comme un processus néfaste, d'aucuns pensent qu'il n'en est pas toujours ainsi et qu'une population vieillie n'est pas nécessairement condamnée, économiquement et sociologiquement parlant. Avant de vouloir se former une opinion à ce propos, il est néanmoins indispensable de connaître ce qu'est avec exactitude ce vieillissement démographique, de savoir en mesurer l'importance et d'en percevoir les mécanismes et les causes. Par exemple, il est utile de savoir que, jusqu'à présent, ce vieillissement est dû à la baisse de la fécondité et non au déclin de la mortalité, comme on l'a cru longtemps.

L'explosion démographique et le vieillissement de la population sont sans doute les deux principaux problèmes que pose la croissance démographique à la société contemporaine. Celle-ci, peut-être davantage sensibilisée à ce problème, devient de plus en plus capable *de contrôler le mouvement de la population et semble de plus en plus décidée à le faire pour réaliser des objectifs divers, même si le développement économique paraît bien être l'objectif fondamental actuel de la plupart des sociétés.*

L'importance générale de ce facteur au sein de la vie sociale, économique et politique, et son impact particulier à notre époque rendent utile la connaissance objective du mouvement de la population, de ses mécanismes et des éléments auxquels il est sensible. C'est l'objet de la démographie. Sans doute, ce qui suit n'est-il qu'une introduction à une science — introduction pouvant paraître aux yeux de certains aride et à première vue trop technique. Elle est loin de répondre à toutes les questions, même à celles qui sont formulées ci-dessus. Elle ne vise pas davantage à être un « livre de recettes », à présenter un ensemble de techniques qui seraient aisément utilisables et donneraient à quiconque l'illusion de faire de la démographie. La pratique de cette science, comme la compréhension des problèmes démographiques, exige d'assimiler les principes directeurs de sa démarche scientifique, la façon de poser les problèmes, d'observer et d'analyser la réalité pour y répondre. Le but de cet ouvrage est donc plutôt de présenter les éléments indispensables dans cette voie et d'amener le lecteur à vouloir pousser plus avant sa recherche.

Dans cette optique, nous avons d'abord tenté de définir la démographie (chapitre premier). Cette définition qui sous-tend l'ensemble de l'ouvrage ne sera sans doute pas acceptée comme telle par tous les démographes, mais, sans être définitive, elle nous semble actuellement permettre l'élaboration d'un discours théorique cohérent. Après l'examen des principaux moyens d'observation des phénomènes démographiques (chapitre II), nous présenterons les principes généraux à toute analyse démographique (chapitre III). Ceux-ci seront ensuite appliqués aux trois composants du mouvement de la population : la natalité (chapitre IV), la mortalité (chapitre V) et la mobilité spatiale (chapitre VI). L'examen de la structure démographique et des interrelations entre celle-ci et le mouvement de la population (chapitre VII) terminera la partie méthodologique de cet ouvrage. Les deux derniers chapitres seront consacrés en effet au problème démographique contemporain, replacé dans l'évolution historique de la population (chapitre VIII) et aux politiques démographiques par lesquelles de nombreux pays de nos jours tentent de réduire la croissance excessive de leur population (chapitre IX). Enfin une bibliographie sélectionnée devrait permettre au lecteur qui le désire d'entrer plus avant dans le domaine de la démographie au sein duquel nous nous limitons à l'introduire, ainsi que de trouver réponse aux questions restées en suspens.

Le présent ouvrage constitue en fait le prolongement de notre enseignement de la démographie générale à l'Université Catholique de Louvain et à l'Institut Supérieur de Culture Ouvrière. La précédente version, qui a été profondément remaniée ici, fut rédigée en anglais à la demande de l'Organisation Mondiale de la Santé en vue d'un séminaire organisé à Taïwan en 1971 et consacré aux « Statistical Methods in National Family Planning Programmes ». Aussi, nous tenons à remercier les Drs *W. Logan et H. Hansluwka de l'O.M.S. pour leurs précieux conseils lors de la rédaction de cette précédente version. Nos remerciements s'adressent aussi en particulier à M*^me^ *G. Masuy-Stroobant pour son aide dans le rassemblement des données, à M. L. Lohlé-Tart et à tous nos autres collègues du Département de Démographie de l'Université Catholique de Louvain. Cet ouvrage doit beaucoup aux échanges de vues continuels avec eux; leurs conseils et critiques nous ont bien souvent permis d'améliorer la forme et le fond de ce texte. Nous voudrions encore remercier M*^me^ *M.-J. Forthomme et M*^lle^ *Davaux qui ont dactylographié le manuscrit et ses multiples corrections avec beaucoup de minutie et de patience. Enfin, nous remercions le « Population Reference Bureau », les éditeurs John Wiley & Sons, le « Population Council », les Nations unies, et la revue « Population » qui nous ont autorisés à reprendre certains graphiques ou tableaux de leurs publications.*

CHAPITRE PREMIER

La démographie

Des définitions courantes

Le développement et le raffinement des outils d'analyse en démographie, en l'absence d'une évolution concomitante de la réflexion théorique, expliquent probablement le rôle trop important accordé généralement aux méthodes ou même aux techniques d'analyse dans les définitions de la démographie. Cette orientation conduit à délimiter avec trop peu de clarté les phénomènes à observer et, du même coup, à mal définir l'objet propre de la démographie. Parfois aussi, elle conduit à considérer la démographie, non plus comme une science, mais comme un ensemble de techniques d'analyse au service des sciences sociales.

Ainsi, l'objet de la démographie reste défini le plus souvent en fonction de l'applicabilité de techniques d'analyse qui sont propres à cette discipline ou, tout au moins, du caractère quantitatif des phénomènes. Cette tendance se retrouve, par exemple, dans la définition fournie par le *Dictionnaire démographique multilingue* des Nations unies[1], dont les auteurs avaient pour principale préoccupation de « faire état de l'usage » (p. VII) : « La démographie est une science ayant pour objet l'étude des populations humaines, et traitant de leur dimension, de leur structure, de leur évolution et de leurs caractères généraux envisagés principalement d'un point de vue quantitatif. »

---

1. *Dictionnaire démographique multilingue*, volume français, New York, Nations unies, Etudes démographiques n° 29, ST/SOA/Ser. A/29, 1958.

Une telle définition ouvre un champ d'investigation presque sans limites, si ce n'est peut-être celle du caractère quantifiable des éléments observés. En effet, lorsque le mot « structure » est défini, on se rend compte qu'il s'agit de la répartition d'une population selon un grand nombre de caractéristiques telles que le sexe, l'âge, l'état civil, la nationalité, la race, la couleur, la langue, la religion, l'instruction, la profession, la participation à la population active, etc. Encore faut-il y ajouter les « caractères généraux » qui, d'après le contexte, paraissent relever de la biométrie, de la psychométrie et de la génétique. Il paraît assez malaisé de dégager le commun dénominateur de ces multiples caractéristiques, si ce n'est le fait qu'elles se rapportent aux individus composant la population (comme d'autres caractéristiques d'ailleurs dont on ne tient jamais compte) et qu'elles peuvent donner lieu à des répartitions statistiques dont certaines sont souvent disponibles à partir des données recueillies par les recensements.

Considérer que la démographie a pour objet d'étude toutes les caractéristiques mesurables de la population ou toutes celles auxquelles s'appliquent les techniques d'analyse démographique n'est guère justifiable au niveau théorique. Cette option a en outre pour conséquence d'encombrer le champ d'investigation de la démographie et de freiner considérablement, sinon d'empêcher l'élaboration d'un discours théorique intégrant les différents phénomènes et processus étudiés par cette science.

Objet de la démographie

Au début de cet ouvrage, il n'est donc pas inutile de proposer une définition de l'objet de la démographie qui permette d'éviter les écueils signalés ci-dessus tout en rendant compte du fond commun à la pratique de cette science. Cette définition se base sur une affirmation suffisamment générale pour être acceptée très largement, à savoir : l'objet de la démographie est l'étude du *mouvement de la population*, ou du peuplement au sens actif du terme, au *sein d'un ensemble humain délimité spatialement et revêtu d'une certaine signification sociale*.

Le mouvement de la population se définit par trois *composants* : la natalité, la mortalité et la mobilité spatiale, qui se concrétisent par des événements que sont les naissances, les décès et les migrations (immigrations ou émigrations selon qu'il s'agit d'entrées ou de sorties par rapport à l'espace considéré). L'interaction de ces composants détermine l'accroissement positif, nul ou négatif de l'effectif de la population totale.

Chaque composant du mouvement est lui-même la résultante de deux facteurs : d'une part la propension (à procréer, à décéder ou à migrer), d'autre part le nombre d'individus soumis à cette propension, c'est-à-dire l'effectif susceptible de l'actualiser. (Comme le terme de propension peut prêter à confusion, il est utile de souligner qu'il ne se réfère pas à un quelconque désir ou disponibilité psychologique, mais plutôt au risque couru par rapport à tel événement.) Ainsi, au cours d'une année par exemple, le nombre de décès survenant au sein d'une population est égal au produit de la propension à décéder (risque de décéder) et du nombre de personnes qui ont été soumises à cette propension au cours de cette période de temps.

Cette propension — à mourir, à procréer ou à migrer — n'est pas identique pour toute la population et, à la limite, elle peut paraître varier avec chaque individu. A partir des caractéristiques des individus, il est toutefois possible de constituer différents ensembles au sein desquels une propension déterminée est suffisamment homogène; encore faut-il que ces ensembles soient significatifs du point de vue démographique, c'est-à-dire qu'ils aient un impact sensible

sur le mouvement de la population de l'aire considérée.
Certes, le problème se pose de déterminer la limite à partir
de laquelle l'impact sur le mouvement est négligeable. Il
s'agit cependant d'un problème statistique non encore résolu
et, pour cause, puisque ce thème n'est généralement pas
abordé. Néanmoins, cette condition fondamentale exigerait
d'une part que la propension moyenne de chaque ensemble
diffère suffisamment de la propension moyenne de la population, d'autre part que l'effectif constituant chacun d'eux
soit suffisamment nombreux.

Les différents ensembles significatifs au niveau démographique — ce qui n'implique pas qu'ils soient significatifs
pour chaque composant — constituent la *structure démographique* qui, par définition, apparaît essentiellement relative dans le temps et dans l'espace. L'orientation de recherche
proposée ici est récente et encore peu répandue, aussi
généralement le choix des éléments qui définissent la structure ne repose-t-il pas, explicitement tout au moins, sur une
telle analyse. A ce stade cependant, parmi les nombreux
éléments retenus par les auteurs, certaines caractéristiques
apparaissent comme fondamentales en analyse démographique. Il s'agit de l'âge et du sexe auxquels il faut ajouter
l'état civil, du moins en ce qui concerne l'étude de la natalité.
A ces trois caractéristiques qui paraissent vérifier l'hypothèse
de la signification démographique dans toutes les sociétés,
d'autres devraient probablement être ajoutées; cette addition
toutefois devrait se faire dans la perspective décrite ci-dessus.

Si les éléments définissant la structure démographique
sont retenus en fonction de leur signification par rapport
au mouvement de la population, encore faut-il préciser les
critères pour déterminer cette *population*. Celle-ci a été définie
comme un ensemble humain situé au sein d'un même espace
géographique et revêtu d'une certaine signification sociale.
Et sans doute est-il impossible de déterminer *a priori* les
populations qui, étant spatialement délimitées, ont ou n'ont
pas de signification sociale. Celle-ci en effet est relative par

rapport au temps et à l'espace; elle n'en reste pas moins un critère complémentaire à celui de la délimitation spatiale, dans la mesure où la démographie est une science sociale. Cet ensemble humain correspond le plus généralement à la population d'un pays ou d'un ensemble de pays ayant certains traits communs d'un point de vue politique ou socio-économique (le Marché Commun, l'Amérique latine par exemple). Il peut également correspondre à la population d'une partie d'un territoire d'un pays dotée d'une signification politique, sociologique ou économique (provinces, arrondissements, zones rurales, régions linguistiques, etc.).

En général, la pratique de la démographie répond à ces deux critères. Néanmoins, ceux-ci permettent d'exclure de son domaine des objets d'étude où certaines techniques d'analyse démographique sont applicables, mais qui ne sont d'aucun apport pour l'élaboration d'une théorie du peuplement ou du mouvement de la population. Il en va ainsi par exemple de l'application de certaines techniques démographiques à l'étude de la population active, de la population scolaire ou même de la population d'une seule profession, tel le corps médical.

Conclusion

Sans doute la définition de l'objet de la démographie que nous proposons ici prête-t-elle le flanc à la critique. Certains la jugeront trop étriquée, d'autres y relèveront les points importants non résolus. Notre objectif n'est pas de présenter une définition de compromis recueillant l'assentiment de la majorité ou couvrant la quasi-totalité des travaux dits de démographie. Il s'agit plutôt de présenter, dès le début de cette introduction, les lignes de force qui sous-tendent le reste de l'ouvrage et qui nous paraissent être les plus

14 / Comprendre la démographie

favorables à l'élaboration d'une théorie démographique.

Dans son analyse du mouvement de la population, la démographie visera à déterminer la part de chaque composant et à dissocier, pour chacun d'eux, l'impact de la structure d'une part, de la propension d'autre part. Ce faisant, elle aura à expliquer leur évolution passée et à prévoir, dans la mesure du possible, leurs tendances futures. Elle ne peut toutefois rendre compte entièrement des modifications de la structure et des propensions sans recourir à l'apport d'autres disciplines telles que la biologie, la sociologie et l'économie particulièrement. Que la démographie soit dès lors une science multi-disciplinaire, elle n'en reste pas moins cependant une science dont l'objet et la problématique sont spécifiques et permettent d'élaborer un véritable discours théorique.

CHAPITRE II

L'observation
en démographie

Bref historique

Traditionnellement, l'observation des faits de population[1]
est basée sur le recensement pour les données concernant
la structure de la population, et sur l'enregistrement continu,
dans les registres d'état civil et de population, des événements
du mouvement : les naissances, les décès et les migrations.
Ces instruments de l'observation classique trouvent toutefois
leur origine en dehors de la science démographique et
continuent à être en grande partie indépendants de son contrôle — ce qui ne va pas sans susciter différents problèmes.

L'état civil qui fut le premier enregistrement des faits
de population a été progressivement installé, et d'abord à
des fins strictement religieuses : enregistrement des baptêmes,
des mariages et des sépultures. La tenue des registres parois-
siaux fut rendue obligatoire par le Concile de Trente en
1563. Par la suite, le pouvoir civil généralisa cet enregistrement à toute la population et en prit finalement la responsa-
bilité. En France, par exemple, il apparaît pour les catholiques
dès le xve siècle, son extension aux non-catholiques et sa
sécularisation ne sont promulguées pour des fins administratives qu'à la fin du xviiie siècle. De même, le recensement
est réalisé pour répondre aux besoins de l'administration

---

1. A propos de l'observation en démographie, cf. Henry L., *Réflexions sur
l'observation en démographie*, *Population*, 18, 1963, 2, 233-262; et du
même auteur, *Problèmes de la recherche démographique moderne*,
Population, 21, 1966, 6, 1093-1114.

et reste dès l'abord étranger à la science démographique. La Suède fut le premier pays à exécuter un recensement moderne par âge et sexe de toute la population vers le milieu du XVIIIe siècle, et les autres pays européens suivirent son exemple au cours du siècle suivant.

La démographie en tant que science utilisa peu à peu les observations de ces instruments créés indépendamment d'elle. Pour analyser la mortalité qui constituait le problème important de l'époque, John Graunt fut le premier à utiliser les bulletins de décès paraissant périodiquement à Londres; son ouvrage fut publié en 1662 sous le titre « Natural and Political Observations mentioned in a following Index, and Made upon the Bills of Mortality ». Trente et un ans plus tard, l'astronome Edmund Halley construisait la première table de mortalité à partir des relevés de décès répartis par âge, recueillis dans les paroisses de la ville de Breslau en Europe centrale. Il fallut toutefois attendre 1766 pour qu'un autre astronome, P. W. Wargentin, construise une table de mortalité (celle de la Suède pour la période 1755-1763) en combinant les données de l'état civil et du recensement.

Au cours du XIXe siècle, des services officiels de statistiques sont instaurés pour diriger les recensements réguliers et exploiter l'état civil de façon permanente. Ainsi la démographie allait disposer de moyens d'observation puissants dont aucune autre science, à part l'économie, ne pouvait bénéficier. Toutefois pendant longtemps, l'observation resta indépendante des démographes et fut davantage orientée vers des besoins d'utilité immédiate, d'ordre administratif principalement, que vers des objectifs strictement scientifiques. En outre, les démographes développèrent un ensemble assez impressionnant de techniques pour rendre utilisables les données disponibles parfois assez déficientes sans trop chercher d'autres moyens d'observation plus adéquats.

Différents éléments favorisèrent une évolution en ce domaine. D'une part, l'étude de la démographie des pays sous-développés s'avérait indispensable mais se heurtait au problème des données : l'état civil étant soit embryonnaire soit inexistant, et le recensement fournissant des données assez pauvres ou paraissant même impraticable à moyen terme dans de nombreux pays. D'autre part, l'évolution de l'analyse démographique elle-même accordait une importance croissante à l'observation suivie, c'est-à-dire l'observation des faits se rapportant dans le temps à une même personne. L'état civil et le recensement toutefois ne pouvaient répondre adéquatement à cette demande. Ces deux causes principales, auxquelles viennent s'ajouter les progrès des techniques d'échantillonnage, amenèrent les démographes à recourir aux enquêtes par sondage. Dans les pays sous-développés, celles-ci peuvent, dans une certaine mesure, suppléer aux lacunes du recensement et de l'état civil, et de multiples expériences sont faites dans cette optique. Dans les pays développés, elles permettent d'obtenir des données plus détaillées, données rétrospectives notamment qui peuvent être un substitut de l'observation suivie.

Enfin, au cours des dix dernières années, l'administration publique mit sur pied un fichier permanent où, pour chaque individu suivi depuis sa naissance jusqu'à sa mort, sont consignés les principaux événements d'intérêt social : naissance, modifications de l'état civil, de l'état professionnel, de la résidence, etc. Ce fichier a l'avantage de réunir en une seule source les renseignements de l'état civil et du recensement et constitue surtout une observation suivie au sens propre du mot.

Cette évolution de l'observation en démographie, réalisée très différemment selon les pays, a abouti à une situation qui est loin d'être homogène, particulièrement si l'on compare les pays développés et les pays sous-développés. Aussi, nous décrirons d'abord brièvement les types de données recueillies par les principaux moyens d'observation en nous référant davantage à la situation des pays développés. Ensuite nous aborderons les problèmes particuliers que pose l'observation démographique dans les pays sous-développés.

Les principaux moyens d'observation

Le *recensement* consiste à recueillir des données démographiques, économiques et sociales se rapportant à un moment donné à tous les habitants d'un territoire déterminé, le plus souvent un pays. C'est l'administration publique qui organise et exécute le recensement. Elle seule, en effet, peut disposer d'une organisation, de budgets et d'un pouvoir suffisants pour ce faire. Vu que les « non-réponses » ne sont pas admises, il est indispensable que les gens soient obligés de répondre et qu'il existe une sanction légale à cette fin. Ces données qui sont loin d'être uniquement démographiques doivent être recueillies pour chacun des individus résidant dans le pays, sans omission ni double compte. Comme il s'agit de « photographier » la population à un moment précis, les données doivent se rapporter à une date déterminée du calendrier, le plus souvent au 31 décembre d'une année. Enfin spatialement, elles se réfèrent soit au lieu de la présence effective de l'individu lors du recensement, ce qui définit la population de fait, soit à sa résidence habituelle, ce qui définit la population de droit.

Les données démographiques recueillies par le recensement sont donc *statiques*; elles ont trait à l'état, à la structure de la population à un moment donné, même si certaines questions rétrospectives permettent d'obtenir des informations sur le mouvement de la population. Généralement, elles concernent l'effectif de la population (le dénombrement), sa répartition par âge, sexe et état matrimonial, et selon diverses catégories géographiques, sociales ou économiques (provinces, communes, instruction, profession, branche d'activité, etc.). Certaines données sont également recueillies sur la composition des ménages, le nombre d'enfants, leur année de naissance, la date de décès des enfants morts, les mariages antérieurs, etc.

Jusqu'à présent, seul le recensement permet de dresser

un bilan, sur la base d'observations, de l'effectif de la population totale et de sa structure, et par conséquent, de déterminer la population ayant subi ou susceptible de subir les événements du mouvement démographique : les naissances, les décès, les migrations et, dans la mesure où ils conditionnent la natalité, les mariages et les ruptures d'union.

Cependant, même dans les pays où il est le mieux réalisé, le recensement n'est pas exempt de lacunes; au niveau du dénombrement, les omissions et les doubles comptes ne peuvent être totalement évités et, au sujet des caractéristiques des individus, les informations restent entachées par des déclarations erronées. Les opérations de vérification et les procédures de détection et de correction automatiques des erreurs peuvent réduire dans une certaine mesure ces lacunes sans pour autant les éliminer entièrement. Ces dernières ne paraissent d'ailleurs pas évitables, et il paraît préférable de tenter d'estimer les biais introduits et de corriger les résultats en fonction de ces estimations, en recourant par exemple à des opérations de contrôle sur échantillons.

L'*enregistrement continu des différents événements* du mouvement démographique est assuré par l'administration publique à laquelle ces événements doivent obligatoirement être déclarés et qui délivre un certificat pour en attester la réalité. Les déclarations des naissances, décès, mariages et ruptures d'union sont transcrites dans les registres d'*état civil* dans tous les pays où ces déclarations sont obligatoires. L'enregistrement des migrations par contre est beaucoup moins uniformisé et formalisé. Les migrations extérieures (les entrées dans un pays ou les sorties de ce pays) sont le plus souvent enregistrées par un service spécial dont la dénomination (bureau des migrations, service ou police des étrangers, etc.) et les attributions varient selon les pays. Les migrations internes (changements de résidence) sont consignées de façon continue dans les registres de la population, maix ceux-ci n'existent que dans quelques pays.

Lors de l'enregistrement des différents événements, plusieurs renseignements sont généralement demandés : date de l'événement, caractéristiques de l'intéressé (âge, profession, résidence, par exemple) ou éventuellement de ses parents s'il s'agit d'une naissance. Ces données sont fournies aux services officiels des statistiques qui se chargent d'un premier traitement avant leur publication : chiffres absolus des différents événements par année de calendrier, répartitions des événements selon diverses caractéristiques disponibles, telles la répartition des naissances selon l'âge de la mère, la durée du mariage, la parité (nombre d'enfants déjà nés), etc.; la répartition des décès selon l'année de naissance et l'âge, selon les causes de décès, etc.

A côté de ces deux principales sources de données démographiques, les *enquêtes par sondage* acquièrent de nos jours une importance grandissante, même dans les pays où l'observation classique est satisfaisante. Dans cette situation, leur principale utilité est de permettre la réalisation d'études plus poussées qui ne pourraient être entreprises à partir des données de l'observation classique. Elles pourraient même avantageusement, sinon remplacer le recensement, du moins y être combinées en réduisant considérablement la longueur du questionnaire utilisé. Le recensement se limiterait alors à relever le nombre exact d'habitants sur un territoire donné et leur répartition selon quelques catégories importantes et ne prêtant guère aux difficultés d'observation : âge, sexe, état civil, résidence, par exemple. On pourrait ensuite procéder à une série d'enquêtes par sondage sur des thèmes précis, comme des enquêtes démographiques sur la fécondité ou sur la mobilité spatiale, des enquêtes sociologiques sur la mobilité sociale, sur l'encadrement culturel des régions urbaines et rurales, par exemple, et des enquêtes économiques sur la main-d'œuvre, l'offre et la demande de travail, les revenus...

Contrairement au recensement, l'enquête par sondage,

en effet, ne porte pas sur tous les individus d'un territoire donné. Elle interroge seulement un nombre restreint d'entre eux, quelques milliers par exemple choisis judicieusement selon les techniques appropriées afin qu'ils soient suffisamment représentatifs de la population que l'on veut observer. Elle permet d'obtenir des données plus détaillées si l'on se limite à un seul sujet d'étude, et de meilleure qualité si les enquêteurs sont davantage sélectionnés et formés. Plus que le recensement, de telles enquêtes rendraient possible une observation suivie mitigée, c'est-à-dire une observation rétrospective. Malgré ses dangers (défaut de la mémoire surtout), une telle observation, faite avec prudence, permettrait des analyses plus poussées.

Partiellement basé sur l'observation classique, le *fichier permanent* offre de grandes possibilités pour l'analyse démographique, si du moins les modalités de sa réalisation et les règlements administratifs s'y rapportant ne limitent pas exagérément son utilisation. Dès qu'il est opérationnel pour les recherches démographiques, son principal avantage est de rassembler à lui seul les données récoltées par le recensement et par l'enregistrement continu des événements démographiques. Dès lors, il peut donner à tout moment l'état exact de la population tout en fournissant les données du mouvement pour une période déterminée. Il permet en outre, dès que son installation a une durée suffisante, l'observation suivie, au sens strict du mot, de chaque individu à partir de sa naissance jusqu'à sa mort ou son émigration du pays, et cela pour toute la population. Il peut également constituer un système unique d'enregistrement où sont centralisés tous les renseignements démographiques et sociaux existant déjà actuellement dans le fichier des différentes administrations, mais d'une façon éparse et non compatible.

L'intérêt de ce moyen d'observation, en particulier pour l'analyse du changement démographique et social, variera en fonction des informations qui y seront consignées. Il est pour l'instant malaisé de porter un jugement à ce propos étant donné le caractère récent et encore peu répandu du fichier permanent. Il est installé, en effet, depuis une dizaine d'années dans quelques pays européens (Norvège, Suède et Danemark par exemple) et est en voie d'établissement dans plusieurs pays développés. Certains pays sous-développés par ailleurs paraissent également préparer son établissement à plus longue échéance.

L'observation classique
dans les pays sous-développés

Dans les pays sous-développés, l'observation classique se heurte à de nombreuses difficultés dont l'importance, sans doute variable, reste en règle générale très grande et empêche le plus souvent l'obtention de données satisfaisantes pour une analyse démographique même assez élémentaire.

L'observation classique, de fait, requiert d'abord une organisation administrative de bonne qualité, en partie permanente pour le recensement et permanente pour l'enregistrement continu des événements démographiques. Dans la plupart des pays sous-développés, cette organisation administrative est loin de répondre aux exigences d'une telle observation et constitue de la sorte un premier handicap important.

Le faible niveau d'instruction des populations constitue un second obstacle, insurmontable à brève échéance. D'une part, il limite les possibilités de recrutement de personnes compétentes pour recueillir les informations, d'autant plus que d'autres activités d'importance fondamentale pour la société tentent également de se les approprier. D'autre part, les populations étant peu alphabétisées, requièrent du personnel suffisamment spécialisé pour les aider à comprendre les informations demandées et à y répondre avec la plus grande exactitude.

Par ailleurs, et c'est un point non négligeable, les populations ne perçoivent pas l'utilité de semblables investigations ou démarches. Si en Europe, par exemple, il est indispensable de posséder les certificats délivrés par l'état civil pour bénéficier de certains services sociaux tels que l'emploi ou la sécurité sociale, ou simplement pour posséder ses droits civils et politiques, il n'en va pas de même dans les pays sous-développés. Quoique de telles démarches soient déclarées obligatoires, il est peu probable qu'elles deviennent rapidement habituelles. Tout un réseau administratif de droits et de devoirs doit être créé au préalable — ce qui est loin d'exister pour l'instant.

A ces obstacles, viennent encore s'ajouter les difficultés suscitées par les conditions socio-économiques défavorables, comme la faible densité des voies de communication, la dispersion des populations et parfois leur grande mobilité. Dans ce cadre, l'état civil est le plus souvent pratiquement inexistant si ce n'est à l'état embryonnaire. Et lorsqu'il existe, l'enregistrement des événements peut être satisfaisant pour certaines régions, les villes par exemple, mais non pour le reste du pays. Comme cette sélection n'est pas aléatoire, il serait très hasardeux de vouloir extrapoler à l'ensemble du pays ce que l'on connaît avec plus ou moins de sûreté pour certaines régions seulement. Dès lors, en plus des problèmes que peut poser la qualité des informations recueillies, le principal biais est ici constitué par le sous-enregistrement des événements. Bien peu de pays sous-développés, en effet, estiment que 90 % au moins des naissances et des décès sont enregistrés par leurs services. Les statistiques de l'état civil paraissent donc inadéquates pour une étude valable du mouvement démographique au niveau national de la plupart des pays.

En ce qui concerne le recensement, la situation des pays sous-développés peut paraître meilleure même si elle laisse encore beaucoup à désirer. En effet, si la majorité des pays disposent des données d'un recensement, celles-ci sont le plus souvent sujettes à caution et ne peuvent être utilisées qu'après une critique poussée et le recours à certaines techniques de correction. D'une part, ce que l'on appelle « recensement » peut n'être, dans bien des cas, qu'un dénombrement assez rudimentaire n'apportant que peu d'informations sur les caractéristiques des individus. D'autre part, les données recueillies, qu'il s'agisse d'un dénombrement ou d'un recensement plus élaboré, sont biaisées par des déficiences souvent importantes.

Le dénombrement de la population totale, qui est un des premiers objectifs du recensement, est généralement entaché d'omissions souvent systématiques, étant donné les difficultés que rencontrent les enquêteurs pour contacter certaines catégories d'individus. Ces omissions sont d'autant plus importantes que les populations sont dispersées et vivent dans des régions dont les conditions d'accès sont difficiles. Les zones rurales peuvent ainsi souffrir d'omissions plus sérieuses que les zones urbaines ; au sein de ces dernières, le sous-enregistrement peut affecter différemment les quartiers selon la densité de leur population. De telles omissions ne se remarquent pas aisément car elles ne créent pas nécessairement des distorsions dans la répartition par âge et par sexe. Dès lors, si la qualité du dénombrement s'améliore d'un recensement à l'autre, on enregistrera une croissance fictive de la population, causée par la seule amélioration du procédé de collecte.

Les informations recueillies à propos des caractéristiques des personnes touchées par le recensement sont, elles aussi, entachées d'erreurs dans bien des cas. Les erreurs les plus importantes du point de vue démographique concernent évidemment la répartition par âge. Très souvent les individus recensés ne connaissent pas leur âge avec précision, parfois même ils ne le connaissent pas du tout, pour ce qui est du moins de leur âge défini d'après le calendrier occidental. Cette

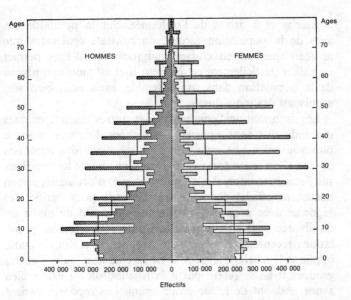

Figure 1. Pyramide des âges de la population turque, d'après le recensement de 1945 (ex Evaluation de la qualité des statistiques de base utilisées pour les estimations de la population. Nations unies, Études démographiques n° 23, New York, 1957, p. 40).

méconnaissance entraîne des irrégularités caractéristiques dans la répartition par âge, comme l'attraction des âges se terminant par 0 ou 5, ou certaines tendances à se vieillir ou à se rajeunir, tendances pouvant varier selon les catégories de la population envisagées : ainsi, variations selon l'âge, le sexe, le degré d'instruction.

L'attraction des âges se terminant par 0 ou 5 se marque avec clarté par exemple dans la répartition par âge de la population turque, obtenue à partir du recensement de 1945. Cette répartition est donnée (figure 1) sous forme d'un histogramme quelque peu spécial, appelé pyramide des âges. Celle-ci (nous en parlons plus en détail au début du septième chapitre) reprend les âges en ordonnée et les effectifs masculins et féminins en abscisse, respectivement à gauche et à droite de l'ordonnée. Sur la pyramide des âges de la population turque, on constate également que le regroupement en classes quinquennales d'âges permet de pallier partiellement cette erreur tout au moins au niveau de la population dans son ensemble, mais non, bien sûr, au niveau des individus.

Les informations concernant les autres caractéristiques des individus sont également entachées d'erreurs, dues le plus souvent à une mauvaise compréhension des questions posées. C'est le cas notamment lorsqu'on aborde les questions sur l'état matrimonial d'autant plus que, d'ordinaire, aucun document officiel ne peut être demandé pour vérifier les réponses à ce propos. La définition du statut de marié ou de divorcé peut en effet être très différente selon les populations recensées. Dans certains groupes, le statut de marié implique le mariage légal et la vie en commun, dans d'autres groupes il ne se réfère pas à la légalisation ou existe bien avant le début de la vie en commun. Les réponses varient dès lors en fonction de la compréhension que le sujet ou l'agent recenseur ont des questions. Des problèmes semblables peuvent également se poser à propos du statut professionnel, de la définition du ménage, ou même du degré de parenté des personnes vivant sous le même toit (dans quelle mesure, par exemple, les enfants adoptés sont-ils toujours reconnus comme tels?).

Comme les données recueillies par l'état civil sont la plupart du temps inadéquates pour des études démographiques, on tente généralement d'obtenir des informations à propos du mouvement de la population, en posant des questions rétrospectives lors du recensement. C'est ainsi que l'on demande aux femmes le nombre d'enfants qu'elles ont mis au monde au cours de leur vie ou seulement au cours des douze derniers mois, le nombre d'enfants décédés durant cette période, etc. Les données ainsi recueillies sont, elles aussi, biaisées par des omissions parfois volontaires (des normes sociales peuvent interdire par exemple de parler

de certains événements comme les décès des enfants ou les
naissances jumelées) et le plus souvent involontaires, dues
aux défauts de la mémoire. Lorsque les déficiences de la
mémoire influencent les données à ce propos, les chiffres
recueillis sur le nombre total d'enfants mis au monde par
les femmes au cours de leur vie, présentent une allure
symptomatique lorsqu'ils sont répartis selon l'âge des femmes, comme en témoigne le tableau 1. A partir d'un certain

Ages	Nombre moyen de naissances vivantes		Ages	Nombre moyen de naissances vivantes
15-19	0,559		50-54	5,371
20-24	1,533		55-59	4,631
25-29	3,069		60-64	4,235
30-34	4,483		65-69	4,402
35-39	5,427		70-74	4,129
40-44	5,907		75-79	4,477
45-49	5,786		80 et +	3,488

*Tableau 1. Nombre moyen de naissances vivantes par femme selon les caté-
gories d'âges au dernier anniversaire pour les femmes indo-pakistanaises
non célibataires, au Tanganyika (Afrique) en 1948. (Source : J. Boute,
La démographie de la branche indo-pakistanaise d'Afrique. Louvain-Paris,
éd. Nauwelaerts, 1965, p. 72.)*

âge, la descendance totale tend à se réduire avec l'âge de la
femme étant donné que les omissions des naissances passées
sont de plus en plus nombreuses.

Par contre, lorsque la question porte sur les naissances
des douze derniers mois, une tendance inverse est constatée.
Les femmes tendent à surestimer la période de temps définie
et à considérer les événements d'autant plus récents qu'ils
sont plus importants. Ceci a pour conséquence d'augmenter
fictivement le nombre de naissances survenues au cours
des douze mois précédant le recensement.

Dans les pays sous-développés, l'observation classique
est donc loin de fournir les données nécessaires pour une
analyse démographique satisfaisante au niveau national.

L'état civil est le plus souvent caractérisé par un sous-enregistrement important. Si le recensement semble obtenir de meilleurs résultats dans l'ensemble, son dénombrement souffre d'omissions et les informations qu'il recueille sur les caractéristiques individuelles sont sujettes à caution. Enfin les données sur le mouvement, obtenues par les questions rétrospectives, sont affectées d'omissions et d'erreurs sur la date des événements.

Pour pallier les déficiences des données recueillies par l'observation classique, deux orientations principales de recherches ont été suivies[2]. D'une part, de nouveaux moyens d'observation ont été expérimentés et évalués dont certains seront signalés pour terminer ce chapitre. D'autre part, différentes techniques de correction et d'estimation ont été élaborées pour être appliquées aux données recueillies par l'observation classique ou même par les moyens nouveaux de collecte; il en sera brièvement question dans les chapitres suivants.

Autres moyens d'observation dans les pays sous-développés

L'*enquête par sondage* est sans aucun doute une technique qui offre beaucoup d'avantages par rapport au recensement. Basée sur un petit échantillon de la population seulement, elle permet, lorsque la représentativité de ce dernier est assurée, d'extrapoler les résultats à la population entière. Comme l'effectif des personnes interrogées est nettement plus restreint que celui d'un recensement, le coût en argent

2. Cf. à ce sujet, Heisel D. F., Mesure du mouvement de la population, in J. C. Caldwell et C. Okonjo (dir. par), *La population de l'Afrique Tropicale*, (trad. dirigée par G. Harcourt), New York, The Population Council, 1968, 210-220; Brass W. I., L'exploitation des données existantes, in Id., 233-242; Mauldin W. P., Estimating Rates of Population Growth, in Berelson B. et al., (ed), *Family Planning and Population Programs*, Chicago, The University of Chicago Press, 1966, 635-653.

et en temps d'une enquête par sondage s'en trouve fortement réduit. En outre, les enquêteurs étant moins nombreux, leur sélection peut être plus sévère et une formation de meilleure qualité peut leur être assurée plus aisément, ce qui est une condition importante pour obtenir des données plus satisfaisantes. Enfin, l'envergure plus réduite de l'opération permet un contrôle plus strict sur les enquêteurs et sur les informations qu'ils recueillent.

Cependant si de telles enquêtes peuvent collecter de meilleures données démographiques, il reste souvent malaisé d'extrapoler à l'ensemble de la population les résultats obtenus pour l'échantillon observé. En effet, comme les connaissances dont on dispose sur la population de base sont réduites ou même pratiquement nulles, il est difficile d'évaluer la représentativité de l'échantillon observé et d'estimer jusqu'où peut aller l'extrapolation à l'ensemble tout en restant dans des limites de confiance suffisantes.

Dès lors l'enquête par sondage ne paraît pas pouvoir se substituer entièrement au recensement. Celui-ci devrait permettre d'obtenir des données élémentaires, mais fiables et suffisantes pour évaluer la représentativité de l'échantillon. Dans ce cas, l'enquête est un moyen utile pour collecter des informations supplémentaires de bonne qualité, notamment sur le mouvement démographique, qui peuvent être extrapolées dans une certaine mesure à l'ensemble de la population. Dans les autres cas, l'extrapolation ne pourra se faire qu'avec beaucoup de prudence et restera toujours assez hasardeuse.

D'autres expériences d'observation ont été également tentées pour obtenir des données valables sur l'état et le mouvement de la population : elles ont généralement en commun de ne porter que sur un échantillon de la population ou une partie de celle-ci délimitée géographiquement et administrativement.

Un premier type se base sur deux techniques séparées d'observation : un enregistrement continu d'une part, un

dénombrement fréquent d'autre part. La comparaison de
données collectées par chacune des techniques et la vérifi
cation sur le terrain en cas de non-coïncidence permetten
l'obtention de données de bonne qualité et l'évaluation de
chacune des techniques. Malgré des résultats positifs, ce
système repose sur une procédure relativement lourde e
onéreuse et ne paraît guère applicable comme tel à l'ensemble
d'une population. Une telle expérience commença en 1962
sur une partie de la population du Pakistan; d'autres sem
blables furent entreprises depuis sur des échantillons plu
réduits en Inde et en Thaïlande, et avec une procédure
plus simple en Turquie.

Un autre type d'expériences, tentées notamment en Inde
et au Maroc, est basé sur l'enquête fréquente avec chevau
chement des périodes de temps observées. Lors de chaque
passage, les enquêteurs s'informent sur les événement
démographiques survenus durant une période suffisammen
longue pour couvrir l'intervalle de temps séparant les deux
enquêtes précédentes. Pour une périodicité de six mois
par exemple, l'enquêteur s'informera sur les événement
survenus depuis sa dernière visite et au cours des six moi
précédant celle-ci. Outre qu'elles obtiennent des donnée
de meilleure qualité, ces expériences permettent aussi de
mesurer les biais introduits par les omissions à mesure qu
s'accroît la durée écoulée depuis l'événement.

D'autres expériences encore furent également tentées
comme l'enquête fréquente sans chevauchement des période
de temps observées, mais il serait vain de vouloir ici le
citer toutes. L'important, à ce stade, est de se rendre compte
que les recherches se poursuivent au niveau des moyen
d'observation. Chacune de ces tentatives a ses avantage
et ses inconvénients et aucune ne peut encore se substitue
entièrement à l'observation classique efficace. L'utilisation
des données recueillies exigera toujours beaucoup de pru
dence et d'esprit critique et commandera souvent le recour
aux techniques de correction et d'estimation élaborée

par la seconde orientation de recherches qui tente, elle aussi, de suppléer les déficiences des données démographiques disponibles.

Conclusions

Tels sont *grosso modo* les principaux moyens d'observation dont dispose généralement la démographie. Sans doute à cet égard, même si l'on fait abstraction des pays sous-développés où les problèmes sont particuliers, la situation varie selon les pays. D'une part, la qualité des données collectées n'est pas homogène et, d'autre part, les faits observés et la technique d'observation restent encore trop hétérogènes. A l'instigation des Nations unies notamment, de nombreux efforts sont néanmoins consentis pour tenter d'aboutir à une certaine uniformité minimale indispensable dans l'optique des études comparatives, que ce soit sur les données essentielles à recueillir, sur les moyens de collecte ou, même, sur les dates des recensements. Partant, cette situation met en relief, s'il est besoin de le faire, l'importance et la nécessité de la critique des données avant toute utilisation.

Quelle que soit la source que l'on utilise, et quel que soit le moyen d'observation à l'origine des données, celles-ci ne peuvent être traitées sans une critique préalable portant sur les questions posées pour les recueillir et sur les publications de ces données qui sont effectivement réalisées.

Il faut d'abord noter que les données recueillies par l'état civil ou par le recensement par exemple ne sont pas toutes publiées ou même disponibles auprès de l'organisation centrale. Ainsi par exemple, lors du recensement belge de 1961, les femmes non célibataires furent interrogées sur la date de naissance de leurs enfants; ces données ne furent cependant pas reprises sur les fiches mécanographiques et

ne sont donc pas disponibles même auprès de l'Institu
National de Statistique. Dès lors, il serait imprudent de s
baser uniquement sur le questionnaire du moyen d'obser
vation pour préjuger définitivement les données disponibles

En outre, les données publiées ne le sont pas à l'état bru
mais bien sous une forme regroupée, les naissances selo
les groupes d'âges de la mère, par exemple. Ce regroupemen
n'est pas nécessairement le meilleur et, en tout cas, limit
dans une certaine mesure les possibilités d'analyse. Il es
dès lors souvent utile de s'informer auprès de l'organisatio
centrale sur la possibilité d'obtenir les données sous un
forme plus adéquate.

La critique des données doit entre autres porter sur le
questions posées pour recueillir les informations afin d
délimiter exactement le contenu des données dont o
dispose. Par exemple, la profession déclarée à l'état civi
lors de l'enregistrement d'un événement démographiqu
quelconque, concerne la profession actuelle et ne préjug
guère la carrière professionnelle antérieure qui a pu influence
davantage le phénomène étudié. De plus, cette déclaratio
peut être biaisée par une tendance à se valoriser, et don
à déclarer un statut professionnel plus élevé, qui sera d'autan
plus marquée que la question posée est plus vague. Pa
ailleurs, lors d'un recensement, l'agent recenseur peut égale
ment influencer les réponses. Lors du recensement belg
de 1961 de nouveau, on a constaté que l'âge de fin d'étude
pour les personnes âgées n'ayant pas dépassé le niveau de
études primaires, était de quatorze ans dans certaine
communes et de douze ans dans d'autres; on a égalemen
constaté que les femmes d'agriculteurs étaient généralemen
considérées comme aidantes dans certaines communes alor
que, dans d'autres, elles étaient déclarées sans profession[3]

La critique des données pose bien sûr pas mal de pro

3. Bonmariage J., Quelques remarques sur l'utilisation de sources existante
en sociologie des faits de population, *Recherches Economiques de Louvain*
33, 1967, 4, 463-475.

blèmes que les exemples repris ici ne font que suggérer. S'il n'a pas été possible dans le cadre de ce chapitre de traiter systématiquement de cette démarche critique, celle-ci n'en reste pas moins préalable à toute analyse et en conditionnera largement la validité.

En ce qui concerne en particulier les pays sous-développés, les lacunes de l'observation des faits démographiques constituent un obstacle réel à une connaissance valable de l'état et du mouvement des populations.

Dans la plupart des pays jusqu'à présent, l'observation classique s'est avérée largement insuffisante, l'enregistrement continu des événements démographiques par l'état civil est loin d'être exhaustif, et si le recensement paraît obtenir des données de meilleure qualité sur l'état de la population tout au moins, celles-ci restent biaisées dans une mesure non négligeable par les omissions et les déclarations erronées. Pour pallier ces lacunes, d'autres méthodes d'observation ont été expérimentées en même temps qu'étaient élaborées différentes techniques de correction des données déficientes. Ces méthodes d'observation permettent sans nul doute d'obtenir de meilleures données sans pour autant pouvoir procurer toutes celles qui sont indispensables pour une analyse suffisante d'une population nationale. Leur fonction semble devoir être surtout celle d'adjuvant. D'une part, les données plus exactes et plus détaillées recueillies auprès d'un échantillon pourront étayer certaines recherches et interprétations faites à un niveau global, à partir des données plus grossières. D'autre part, ces expériences, surtout lorsqu'elles sont faites au sein de la société étudiée, permettent de corriger, sur une base empirique, les lacunes des données recueillies d'une manière moins qualifiée auprès de l'ensemble de la population.

Le recours à ces nouvelles méthodes d'observation paraît donc nécessaire et il serait utile que se poursuivent les recherches pour les améliorer et accroître l'utilisation qui peut en être faite. Elles ne peuvent cependant répondre en suffisance aux besoins de l'analyse démographique et aussi est-il indispensable de tenter de perfectionner également les méthodes de l'observation classique.

A moyen terme toutefois, l'efficacité de l'enregistrement continu des événements démographiques, par l'état civil particulièrement, ne paraît pas pouvoir être accrue de manière suffisante. En effet, elle ne dépend pas seulement de son organisation et de la qualité des personnes chargées de l'enregistrement, mais surtout des populations elles-mêmes. C'est en définitive l'individu qui doit faire la démarche qui consiste à déclarer une naissance ou un décès. Il ne le fera que si cette démarche lui paraît indispensable dans son propre intérêt. Cela exige des transformations sociales importantes dont la réalisation sera, il va sans dire, pour le moins assez lente.

Aussi, dans une première phase, les efforts devraient principalement porter sur l'amélioration du recensement au cours duquel le dénombrement de la population serait relativement exhaustif[4]. Ce recensement se limiterait à quelques données fondamentales mais veillerait à les recueillir de la façon la plus exacte et la plus précise possible. Les données sur le mouvement de la population seraient obtenues par des questions rétrospectives. La formulation et le contenu de ces questions ainsi que la critique des réponses obtenues se baseraient sur les résultats des expériences faites selon les nouvelles méthodes d'observation. En outre, il serait indispensable que des recensements aient lieu à intervalles réguliers et de préférence qu'ils ne soient pas espacés de plus de dix ans. La comparaison des recensements successifs, lorsqu'ils sont de qualité suffisante, permet en effet d'estimer la croissance de la population et, dans une certaine mesure, les composants du mouvement.

---

4. C'est l'avis de plusieurs spécialistes de ces problèmes et notamment de W. I. Brass, L'amélioration quantitative et qualitative des statistiques démographiques, in Caldwell J. C. et Okonjo C., *La population de l'Afrique Tropicale*, op. cit., 47-55.

CHAPITRE III

Principes
d'analyse démographique

Objectif de l'analyse démographique

Dans le chapitre précédent, on a vu comment les données relatives à la population étaient recueillies par les divers modes de collecte : recensement, état civil, enquête. Le démographe ne peut toutefois se contenter des chiffres bruts fournis par le recensement, l'état civil, ou l'enquête, en vue de déterminer par exemple les tendances de la natalité, ou celles de la population en âge de scolarité. Ces données brutes mélangent en réalité l'histoire passée et la situation présente de la population. Aussi, en vue de désenchevêtrer ces diverses influences, le démographe doit recourir à ce qu'on appelle généralement l'*analyse démographique*.

L'objectif de l'analyse démographique peut être saisi au moyen d'un exemple. Considérons le nombre de naissances survenant dans une population au cours d'une année déterminée. Ce nombre de naissances dépend d'une part de *l'effectif* de la population en âge de procréer, et, d'autre part, des *propensions* à procréer relatives à chaque unité de la population en âge de reproduction. Une première tâche de l'analyse consistera donc à distinguer l'influence respective des effectifs et des propensions sur le nombre de naissances de l'année. Si la natalité dépend en partie de la répartition par âge de la population, d'autres caractéristiques interviennent encore : ainsi, la proportion de femmes mariées à chaque âge puisque, dans beaucoup de pays, les naissances légitimes représentent une part prépondérante du total des naissances. Ici aussi, l'analyse démographique devra séparer les effets d'effectifs (nombre de femmes mariées) de l'effet des propensions (fécondité[1] de ces femmes mariées). Considérons maintenant la fécondité des femmes mariées : le nombre moyen de naissances annuelles par femme mariée dépendra d'une part du nombre total de naissances mises au monde par ces femmes au cours de leur vie (*intensité* de la fécondité), et d'autre part de la répartition dans le temps de ces naissances au cours de la vie (*calendrier* de la fécondité). L'analyse aura donc pour but également de distinguer — au sein du nombre moyen annuel de naissances par femme — la part due à la descendance totale (intensité) et celle qui relève de la répartition de ces naissances dans le temps (calendrier).

En conséquence le rôle de l'analyse démographique est double : d'abord séparer l'influence respective des effectifs et des propensions sur le nombre d'événements démographiques observés au cours d'une période de temps; ensuite, distinguer l'intensité et le calendrier des phénomènes démographiques en vue d' « expliquer »[2] et de tenter de prévoir les propensions annuelles. A ce double rôle correspondra une double dimension temporelle, selon qu'on envisage les événements démographiques annuels (analyse dite *transversale*) ou au contraire l'intensité et la répartition des événements au cours de la vie des individus (analyse dite *longitudinale*).

L'analyse démographique est rendue complexe par le fait que les phénomènes démographiques ne sont jamais analysés isolément (ou à l'*état pur*); dans la réalité, les phénomènes démographiques agissent toujours en interaction : par

1. Dans la terminologie démographique, on distingue la natalité — c'est-à-dire le phénomène des naissances dans une population — de la fécondité ou nombre de naissances par femme (ou par couple).
2. Une « explication » complète dépasserait le champ de la démographie et ferait intervenir également des faits sociologiques, biologiques, etc. Nous n'envisagerons guère ceux-ci dans le cadre de cet ouvrage.

exemple, la mortalité réduit le nombre de femmes observées et se répercute ainsi sur la natalité de l'ensemble. Si le démographe souhaite déterminer l'intensité et le calendrier de la fécondité du groupe observé, il devra tenir compte de cette *perturbation* de l'observation due à l'interaction de la mortalité[3] en vue de l'éliminer et d'atteindre ainsi le phénomène étudié (la natalité) à l'état pur.

On remarque enfin que les phénomènes démographiques sont divers : certains excluent les individus du champ d'observation (mortalité, par exemple), d'autres (l'immigration) au contraire les incluent. Quelques événements démographiques sont non renouvelables (le décès), d'autres sont au contraire renouvelables (le mariage). Les méthodes d'analyse devront être adaptées à ces diverses caractéristiques. Très souvent, elles ne donneront d'ailleurs que des solutions approchées basées sur des hypothèses plus ou moins vraisemblables. Le champ de l'analyse démographique est ainsi vaste et complexe et on ne fera que l'effleurer dans le cadre de cet ouvrage, le lecteur soucieux de compléter ses connaissances pouvant consulter les divers ouvrages de référence signalés dans la bibliographie.

Les paragraphes suivants traiteront quant à eux de l'analyse d'un phénomène démographique à l'état pur; les chapitres 4, 5 et 6 envisageront en revanche les cas élémentaires d'analyse avec inclusion de phénomènes perturbateurs. Toutefois, auparavant, nous consacrerons le paragraphe ci-dessous à l'examen détaillé d'une représentation graphique couramment utilisée en analyse démographique : le diagramme de Lexis.

---

3. Il devra également tenir compte de l'émigration et de l'immigration au sein de la population observée.

Le diagramme de Lexis

Le diagramme de Lexis est un outil précieux du démographe dans la mesure où il permet de répartir les événements démographiques selon les années d'observation et les générations. Il s'agit simplement d'un diagramme (fig. 2)

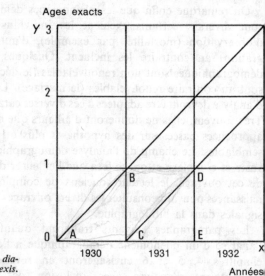

Figure 2. Le diagramme de Lexis.

où, sur l'axe ox (abscisse), on représente les *années civiles* (par exemple les années 1930, 1931, 1932…) et, sur l'axe oy (ordonnée), on note l'*âge* des individus.

L'individu né le premier janvier 1930 (point A) aura son premier anniversaire (un an exact) le premier janvier 1931 (point B). De même l'individu né le 31 décembre 1930 (point C) aura un an exact le 31 décembre 1931 (point D). Ces mêmes individus auront respectivement 2 ans exacts les 1er janvier et 31 décembre 1932.

Sur l'axe oy, on marque les *âges exacts* 0 (instant de la naissance), 1 (premier anniversaire), 2 (deuxième anniversaire), 3 (troisième anniversaire), etc. Par ces points, on trace alors des parallèles à l'axe ox, et par ailleurs, on élève des verticales par les points 31 décembre 1930 (point C), 31 décembre 1931 (point E), 31 décembre 1932, etc. La figure obtenue ainsi est appelée *diagramme de Lexis*, du nom du statisticien allemand de la fin du XIXe siècle qui en est l'auteur.

La ligne passant par les points A et B correspond à la vie de l'individu né le premier janvier 1930; de même, la ligne passant par C et D correspond à la vie de l'individu né le 31 décembre 1930. L'ensemble des parallèles à AB et CD comprises entre ces deux droites correspondent aux vies des individus nés entre le premier janvier et le 31 décembre 1930, donc au cours de toute l'année 1930. Cet ensemble d'individus nés au cours de l'année 1930 sera appelé la *cohorte de naissances (ou génération)* 1930; de même, on parlera de la cohorte de naissances 1931, 1932, etc., pour les individus nés au cours des années 1931, 1932, etc.

On voit aisément que les événements frappant la cohorte 1930 au cours d'une année de calendrier (exception faite pour la première année 1930) se rapportent à deux groupes d'âges distincts. Par exemple, les décès survenus dans la cohorte 1930 au cours de l'année 1931 (fig. 3 A) se rapporteront à des enfants âgés de 0 à 1 an exacts (appelé aussi *0 an révolu*) et de 1 à 2 ans exacts (ou *1 an révolu*). Si les événements se rapportent au contraire à un seul âge révolu, par exemple l'âge 0 révolu (fig. 3 B), c'est-à-dire l'âge compris entre les anniversaires 0 (l'instant de la naissance) et 1, et frappent la cohorte 1930, ils vont nécessairement se rapporter aux années de calendrier 1930 et 1931. Enfin, on observe sur le diagramme de Lexis que les événements se rapportant à la cohorte 1930, survenus au cours de l'année 1930 à l'âge révolu 0 (donc entre les âges exacts 0 et 1), vont eux nécessairement se situer dans un triangle (fig. 3 C). Il est utile de noter également que les événements survenus au cours d'une année de calendrier (1931 par exemple) et frappant des individus ayant le même âge révolu (0 an par exemple) se rapporteront à deux cohortes de naissances distinctes, la génération 1930 et la génération 1931 (fig. 3 D).

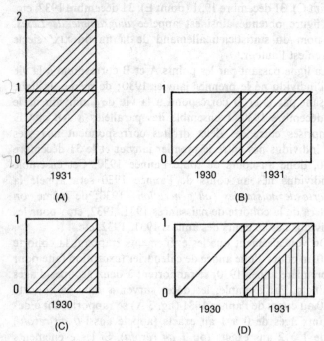

Figure 3.

Les distinctions précédentes sont fondamentales lorsqu'il s'agit de rapporter les événements aux cohortes qui les subissent et aux années de calendrier au cours desquelles elles se produisent. L'usage du diagramme de Lexis permet bien souvent d'éviter des erreurs à ce propos.

Ce diagramme peut facilement être adapté pour tenir compte de durées et de périodes de calendrier différentes de l'année. Considérons par exemple à la figure 4 les générations 1930 à 1934 (5 générations), observées par périodes

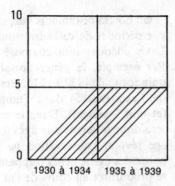

Figure 4.

quinquennales de calendrier (5 années). Sur un diagramme de Lexis, les unités de temps en abscisse et en ordonnée seront cette fois de *cinq années* : la modification des unités de temps n'en change pas le mode d'utilisation.

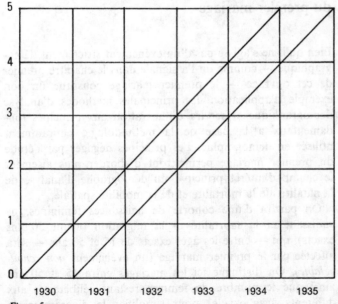

Figure 5.

On notera néanmoins que, si l'on suit une cohorte annuelle par périodes de calendrier quinquennales, le diagramme de Lexis adéquat sera composé d'unités de temps annuelles. Par exemple, la génération 1930, observée sur la période quinquennale 1930 à 1934, sera représentée sur un diagramme de Lexis (fig. 5) dont l'unité de temps est d'une année (et non 5 années). Dans le cas présent, la génération 1930 sera donc observée aux âges 0 à 4 révolus, et pour ce dernier âge révolu, l'observation ne sera que partielle puisqu'une partie des événements frappant la génération à 4 ans révolus se produiront au cours de l'année 1935.

Un exemple de méthode d'analyse :
l'intensité et le calendrier
du premier mariage

Bien qu'il ne s'agisse pas d'un événement strictement démographique — comme on l'a signalé dans le chapitre premier de cet ouvrage — le premier mariage constitue un bon exemple d'application des principales méthodes d'analyse démographique et servira d'illustration aux principes fondamentaux à la base de la méthodologie couramment utilisée en démographie. Les principes dégagés par l'étude du premier mariage permettront d'aborder plus aisément le champ d'intérêt principal du démographe, l'analyse de la natalité, de la mortalité et de la mobilité spatiale.

On partira d'une cohorte de naissances féminines, ne subissant ni la mortalité ni la migration (avant 50 ans exacts), qui — entre les âges exacts de 15 et 50 ans — sera affectée par le premier mariage (un événement *non renouvelable*). On distingue ici les mariages entre 15 et 50 ans ainsi que le nombre de femmes restant célibataires aux différents âges exacts; pour simplifier le diagramme de

Lexis, on ne retient que les anniversaires de 5 en 5 ans. Le diagramme de Lexis de la figure 6 correspond à cette situation. En se basant sur un effectif de 10 000 femmes à la naissance, comme les mariages ont lieu entre les âges

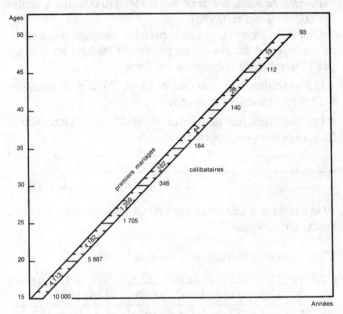

Figure 6. Premiers mariages et célibataires en l'absence de mortalité.

exacts 15 et 50 ans seulement, ces 10 000 femmes seront encore célibataires à 15 ans exacts. Entre 15 et 20 ans exacts, 4 113 femmes se marieront. Il ne restera donc que 10 000 moins 4 113, c'est-à-dire 5 887 célibataires à 20 ans exacts. Parmi celles-ci, 4 182 se marieront entre 20 et 25 ans; il ne restera plus que 5 887 moins 4 182, soit 1 705 femmes célibataires à 25 ans exacts. On poursuivra de la sorte le calcul jusqu'à 50 ans exacts — âge auquel on n'observe plus finalement que 93 célibataires seulement. Comme, par hypothèse, ces 93 célibataires ne se marieront plus, le pourcentage de célibataires *définitifs* sera de 93/10 000, c'est-à-dire 0,0093. Le nombre total de mariages entre 15 et 50 ans est de 4 113 plus 4 182 plus 1 359 plus 162 plus 44 plus 28 plus 19, soit 9 907, 10 000 moins 93. Le nombre moyen de mariages *(intensité du mariage)* sera donc 9 907/10 000, ou 1 moins 0,0093, c'est-à-dire 0,9907.

Quant à l'âge moyen au premier mariage *(calendrier du mariage)*, il est obtenu en pondérant les âges au mariage par le nombre de mariages à ces âges :

4 113 mariages ont lieu entre 15 et 20 ans exacts, soit à 17,5 ans exacts en moyenne;

4 182 mariages ont lieu entre 20 et 25 ans exacts, soit à 22,5 ans exacts en moyenne;

....;
....;
....;

19 mariages ont lieu entre 45 et 50 ans exacts, soit à 47,5 ans exacts en moyenne.

L'âge moyen au mariage sera donc de :

$$\frac{(17,5)(4\ 113) + (22,5)(4\ 182) + (27,5)(1\ 359) + (32,5)(162) + (37,5)(44) + (42,5)(28) + (47,5)(19)}{4\ 113 + 4\ 182 + 1\ 359 + 162 + 44 + 28 + 19}$$

$$\text{ou} \quad \frac{212\ 452,5}{9\ 907} = 21,44 \text{ ans.}$$

Dans la réalité, évidemment, la mortalité et la migration interviennent en plus du mariage pour réduire le nombre de célibataires à chaque âge. Les mesures obtenues ci-dessus *à l'état pur* (sans mortalité ni migration) devront donc être modifiées pour tenir compte de ces perturbations.

On remarquera que les résultats ci-dessus (intensité et calendrier du premier mariage) peuvent être également calculés par une autre technique dite des *événements réduits* obtenus en réduisant le nombre de mariages observés dans chaque groupe d'âges à l'effectif initial de la cohorte à 15 ans, qui correspond ici en l'absence de mortalité et de migration aux effectifs *mariés ou non* observés à chaque âge.

On obtient :

$$\frac{4\,113}{10\,000}, \frac{4\,182}{10\,000}, \ldots \frac{19}{10\,000}$$

Le nombre moyen de mariages s'obtient alors simplement en sommant les mariages réduits :

$$\frac{4\,113}{10\,000} + \frac{4\,182}{10\,000} + \ldots + \frac{19}{10\,000} = \frac{9\,907}{10\,000} = 0{,}9907.$$

L'âge moyen au premier mariage s'obtient en pondérant les âges par les mariages réduits :

$$\frac{17{,}5\,(\frac{4\,113}{10\,000}) + 22{,}5\,(\frac{4\,182}{10\,000}) + \ldots + 47{,}5\,(\frac{19}{10\,000})}{(\frac{4\,113}{10\,000}) + (\frac{4\,182}{10\,000}) + \ldots + (\frac{19}{10\,000})}$$

$$\text{ou} \quad \frac{21{,}24525}{0{,}9907} = 21{,}44 \text{ ans.}$$

On verra par la suite que d'autres indices démographiques importants — les taux et les quotients — peuvent encore servir à déterminer l'intensité et le calendrier de la nuptialité. Avant d'examiner ce point, il est utile de se pencher sur l'analyse de la natalité et de la mortalité. On comprendra mieux, par après, pourquoi l'on utilise divers types d'indices démographiques selon que le phénomène que l'on étudie *exclut ou non* les individus du champ d'observation, et selon le caractère *renouvelable ou non* des événements observés.

Intensité et calendrier
de la fécondité

Considérons (fig. 7) la cohorte de 10 000 femmes, et observons maintenant la distribution des naissances vivantes

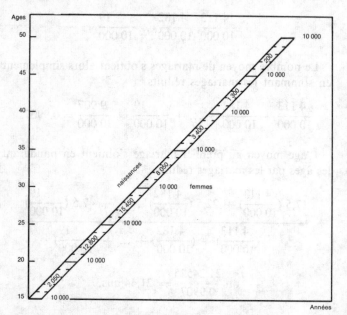

Figure 7. Naissances et effectifs féminins en l'absence de mortalité.

(sans distinction du rang de la naissance) au sein de cette cohorte qui n'est toujours pas affectée par la mortalité et la migration avant 50 ans. Cette fois-ci, contrairement au premier mariage, l'événement « naissance » est renouvelable puisqu'une même femme peut donner lieu à plusieurs naissances successives.

A la figure 7, on constate 2 050 naissances issues des femmes âgées de 15 à 20 ans exacts, 12 800 naissances entre les âges exacts 20 et 25, ... 200 naissances entre les âges exacts 45 et 50. Le nombre total de naissances est de $2\,050 + 12\,800 + ... + 200 = 43\,250$.

Le nombre moyen de naissances par femme *(intensité de la fécondité)* sera donc de 43 250/10 000, soit 4,325.

Quant au *calendrier de la fécondité* caractérisé par l'âge moyen à la maternité, on observera que :

2 050 naissances ont lieu à l'âge moyen exact 17,5;

12 800 naissances ont lieu à l'âge moyen exact 22,5;

....;

200 naissances ont lieu à l'âge moyen exact 47,5.

La moyenne pondérée des âges par les naissances à ces âges sera donc de :

$$\frac{(17,5)\,(2\,050) + (22,5)\,(12\,800) + (27,5)\,(15\,450) + (32,5)\,(8\,050) + (37,5)\,(3\,400) + (42,5)\,(1\,300) + (47,5)\,(200)}{2\,050 + 12\,800 + 15\,450 + 8\,050 + 3\,400 + 1\,300 + 200}$$

ou 27,81 ans environ.

Comme dans le cas de la nuptialité, on peut de nouveau partir des *naissances-réduites*, obtenues en divisant le nombre observé de naissances dans chaque groupe d'âges par l'effectif initial de la cohorte à 15 ans (qui demeure par hypothèse invariable jusqu'à 50 ans) :

$$\frac{2\,050}{10\,000}, \quad \frac{12\,800}{10\,000}, \quad \frac{15\,450}{10\,000}, \quad ..., \quad \frac{200}{10\,000}.$$

La somme des naissances réduites fournira une fois encore le nombre moyen de naissances par femme, et la moyenne pondérée des âges par les naissances réduites correspondra à l'âge moyen à la maternité.

Dans la réalité, la mortalité et la migration affectent le nombre de femmes observées. En vue d'évaluer la descendance moyenne et l'âge moyen à la maternité à l'état pur, il faudra donc éliminer l'influence perturbatrice de la mortalité et de la migration (voir chapitre IV).

Intensité et calendrier de la mortalité

A la figure 8, on étudie une cohorte de 100 000 femmes à la naissance, qui sera réduite progressivement par la mortalité,

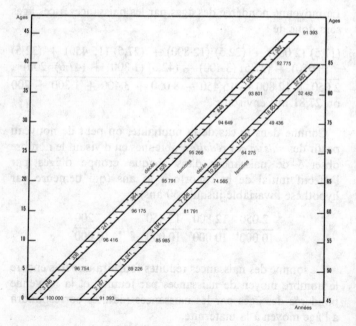

Figure 8. Décès et effectifs féminins en l'absence de mobilité spatiale ($e_0 = 69$).

en l'absence de migration[4]. Pour simplifier, on supposera que tous les décès surviennent avant le 85e anniversaire. Comme dans le cas du premier mariage, il s'agit certes ici d'un événement *non renouvelable*, le décès. Dans l'étude du premier mariage, toutefois, l'effectif initial de la cohorte restait inchangé entre 0 et 50 ans, la somme des célibataires et des non-célibataires à chaque âge fournissant constamment l'effectif initial à la naissance. Dans le cas de la mortalité au contraire, le phénomène étudié (la mortalité) exclut à chaque âge certains individus de l'observation, si bien que l'on n'observe à chaque âge que les *individus survivants*, ceux-ci finissant d'ailleurs par disparaître entièrement sous l'action de la mortalité.

Dans le cas de la mortalité, il est sans intérêt de retenir le nombre moyen de décès par tête (intensité de la mortalité) puisque celui-ci est nécessairement égal à l'unité : tout le monde meurt, si bien que la somme des décès équivaut nécessairement à l'effectif initial de la cohorte à la naissance (100 000, dans notre exemple).

Ce qui retient l'attention du démographe sera donc le *calendrier* des décès selon l'âge, et les *risques de mourir* à chaque âge.

Le calendrier des décès peut être caractérisé dans la cohorte sans perturbation par l'âge moyen au décès, appelé également vie moyenne à la naissance.

A la figure 8, on voit que 3 246 femmes meurent en moyenne à l'âge de 2,5 ans exacts, 338 meurent à l'âge de 7,5 ans exacts, 241 meurent à l'âge de 12,5 ans exacts... 32 482 meurent à l'âge de 82,5 ans exacts.

La moyenne pondérée des âges par le nombre de décès à ces âges sera donc de :

$$\frac{(2,5)\,(3\,246) + 7,5\,(338) + 12,5\,(241) + \ldots + 82,5\,(32\,482)}{100\,000}$$

---

4. En vue de réduire la dimension de la figure, la cohorte a été scindée en deux à la figure 8. On retiendra qu'il s'agit d'une seule cohorte observée de la naissance au 85e anniversaire.

ou 69,04 ans. Cette vie moyenne sera notée e_0.

La figure 9 reprend une autre cohorte[5] où les risques de mourir à chaque âge sont, nous le verrons, beaucoup plus élevés que ceux de la population reprise à la figure 8. Avec les données de la figure 9, la vie moyenne à la naissance vaut :

$$\frac{2,5\,(18\,152) + 7,5\,(1\,748) + 12,5\,(1\,329) + \ldots + 82,5\,(14\,424)}{100\,000}$$

ou $e_0 = 49,96$ ans, soit environ 50 ans seulement.

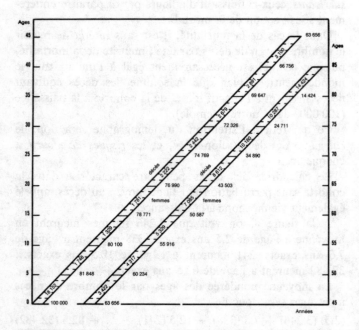

Figure 9. Décès et effectifs féminins en l'absence de mobilité spatiale ($e_0 = 50$).

5. Ici aussi, la cohorte a été scindée en deux tronçons en vue de réduire la dimension de la figure.

En calculant maintenant les risques de mourir, encore appelés *quotients de mortalité* $_5q_x$, entre 0 et 5 ans exacts ($_5q_0$), 5 et 10 ans exacts ($_5q_5$), 10 et 15 ans exacts ($_5q_{10}$), etc., avec les données de la figure 8, on arrive aux résultats suivants :

Ages exacts	Quotients de mortalité	
0- 5	3 246/100 000 =	0,03246
5-10	338/ 96 754 =	0,00349
10-15	241/ 96 416 =	0,00250
....	....	....

Les quotients de mortalité s'obtiennent donc en divisant les décès dans chaque groupe d'âges par l'effectif survivant au début du groupe d'âges considéré, effectif qui est évidemment soumis au risque de mourir au cours de l'intervalle d'âges considéré. Avec les données de la figure 9, on obtient les quotients suivants :

Ages exacts	Quotients de mortalité	
0- 5	18 152/100 000 =	0,18152
5-10	1 748/ 81 848 =	0,02136
10-15	1 329/ 80 100 =	0,01659
....	....	....

Les tableaux-annexes A et B reprennent notamment les résultats de ces calculs des $_5q_x$, pour x variant par bonds de 5 ans de 0 à 80 ans; par hypothèse, $_5q_{80} = 1$ puisqu'il n'y a plus de survivants à 85 ans exacts.

Ici aussi, la réalité diffère de la situation présentée : la migration intervient en plus pour réduire[6] les effectifs observés. Il faudra dès lors tenir compte de cette perturbation lorsqu'on voudra calculer les quotients de mortalité à l'état pur, sans influence de la migration (voir chapitre V).

---

6. Ou éventuellement accroître les effectifs, si l'immigration est forte.

Evénements réduits, quotients et taux

Reprenons maintenant l'exemple de la nuptialité (fig. 6). Nous avons défini plus haut (page 45) la notion de *mariages réduits*. Il s'agit, on le rappelle, des rapports des mariages observés à chaque âge (ou groupe d'âges) à l'effectif initial de la cohorte, effectif qui est égal — en l'absence de mortalité et de migration — aux effectifs mariés ou non, observés à chaque âge (10 000 femmes dans l'exemple).

Par analogie avec le quotient de mortalité introduit à la page 51, on est également à même de calculer des *quotients de nuptialité* $_i n_x$, mesurant le « risque », pour les célibataires, de se marier au cours d'un intervalle d'âges donné. En recourant aux données de la figure 6, on aboutit aux quotients de nuptialité suivants :

Ages exacts	Quotients de nuptialité	
15-20	4 113/10 000	= 0,4113
20-25	4 182/ 5 887	= 0,7104
25-30	1 359/ 1 705	= 0,7971
....	....	....

On divise donc, comme dans le cas de la mortalité, les événements observés dans un groupe d'âges (ici les premiers mariages) par l'effectif des individus n'ayant pas encore subi le phénomène étudié (ici l'effectif de célibataires) au début du groupe d'âges considéré. Le tableau-annexe C reprend entre autres les résultats de ces calculs entre 15 et 50 ans exacts.

A partir des quotients de nuptialité (annexe C) ou des quotients de mortalité (annexes A et B), on peut déterminer facilement les événements correspondants (mariages ou décès) et les effectifs (célibataires, survivants) échappant au phénomène étudié (nuptialité ou mortalité dans ces exemples). Ainsi, dans le cas de la nuptialité, les mariages

$_i m_x$ dans le groupe d'âges x à x + i s'obtiennent simplement en multipliant le nombre de célibataires C_x à l'âge exact x par le quotient de nuptialité $_i n_x$:

$$_i m_x = (C_x)\,(_i n_x)$$

De là, on tire immédiatement l'effectif de célibataires à l'âge exact x + i :

$$C_{x+i} = C_x - {}_i m_x$$

La méthode est identique dans le cas de la mortalité; en multipliant les survivants l_x, à chaque âge exact x, par le quotient de mortalité $_i q_x$ portant sur le groupe d'âge x à x + i exacts, on obtient le nombre de décès $_i d_x$ dans ce groupe d'âges. En retranchant $_i d_x$ de l_x, on obtient en revanche le nombre de survivants à l'âge exact x + i.

Ce procédé d'obtention des événements et des effectifs à partir des quotients correspond au calcul de ce qu'on appelle respectivement une *table de nuptialité* et une *table de mortalité*. Il s'agit d'exemples particuliers d'une méthode fort générale qui ne s'applique cependant qu'aux événements non renouvelables (tels que, naissances selon le rang, divorces selon le rang, etc.) — que le phénomène étudié exclue ou non les individus du champ d'observation.

Toujours dans le domaine du premier mariage, événement non renouvelable, on peut à présent calculer le *taux de nuptialité*[7] $_n t_x$ obtenu en divisant les premiers mariages observés dans un groupe d'âges par le nombre d'années vécues par l'effectif en état de célibat, au cours de l'intervalle d'âges considéré. Ce nombre d'années s'obtient approximativement en multipliant l'effectif moyen de célibataires dans le groupe d'âges considéré par le nombre d'années qui le constitue (intervalle de classe). Si l'on considère le

7. Le terme de « taux » est fréquemment utilisé dans un sens différent de celui présenté ici; lorsque ceci est le cas, même si l'usage est courant, nous indiquerons le terme « taux » entre guillemets.

taux de nuptialité aux âges 15 à 20 exacts, l'effectif moyen de célibataires (fig. 6) sera de :

$$\frac{10\,000 + 5\,887}{2} = 7\,943,5.$$

Le groupe d'âges étant quinquennal, l'intervalle de classe est de 5 ans. Le taux de nuptialité vaut donc :

$$\frac{4\,113}{5 \times 7\,943,5} = \frac{4\,113}{39\,717,5} = 0,10356.$$

Le dénominateur du taux se conçoit ainsi : entre 15 et 20 ans, le nombre d'années vécues en état de célibat par les 5 887 célibataires observés à 20 ans exacts est de 5 887 × 5 années, soit 29 435 années. A cela, il importe d'ajouter le nombre d'années vécues en état de célibat par les 4 113 femmes mariées entre 15 et 20 ans. En supposant que ces femmes se sont mariées à 17,5 ans exacts en moyenne, elles sont donc restées célibataires pendant 2,5 années dans le groupe d'âges considéré. Le nombre total d'années vécues en état de célibat entre 15 et 20 ans sera donc de 5 887 × 5 + 4 113 × 2,5, soit 39 717,5[8].

Le raisonnement est semblable pour calculer un taux de mortalité, par exemple.

Il est très facile de retrouver le quotient de nuptialité (ou de mortalité) à partir du taux, moyennant certaines hypothèses dont nous ne parlerons pas ici. On peut démontrer en effet la relation suivante :

$$_{i}n_{x} = \frac{2\,i\,_{i}t_{x}}{2 + i\,_{i}t_{x}}$$

où i est l'intervalle de classe, $_{i}n_{x}$ est le quotient (de

---

8. Ce calcul est identique au précédent car 5 887 × 5 + 4 113 × 2,5 = 5 887 × 5 + (10 000 − 5 887) × 2,5 = (10 000 + 5 887) × 2,5, ce qui équivaut à $\frac{10\,000 + 5\,887}{2} \times 5$.

nuptialité, de mortalité,...), $_i t_x$ est le taux (de nuptialité, de mortalité,...); dans l'exemple précédent, i équivaut à 5 et $_5 t_{15}$ à 0,10356. Dès lors, on arrive à ceci :

$$_5 n_{15} = \frac{10 \ _5 t_{15}}{2 + 5 \ _5 t_{15}}$$

$$= \frac{10(0,10356)}{2 + 5(0,10356)}$$

$= 0,4113$, valeur trouvée précédemment à la page 52.

Le problème consiste, dans la réalité, à retrouver ces diverses mesures — événements réduits, quotients ou taux — à l'état pur, c'est-à-dire en l'absence de phénomènes autres que celui que l'on étudie. Dès que l'on a évalué approximativement l'une ou l'autre de ces séries d'indices, il est facile de déterminer l'intensité et le calendrier correspondant : si l'on a évalué les événements réduits, il suffit de les sommer pour obtenir l'intensité moyenne du phénomène et de faire la moyenne pondérée des âges par les événements réduits pour découvrir la valeur moyenne du calendrier. Si ce sont, au contraire, les quotients à l'état pur qui ont été déterminés, on dressera la table d'éventualité correspondante; celle-ci permettra alors de déterminer le nombre moyen d'événements par tête (intensité) et l'âge moyen de la distribution des événements (calendrier). Enfin, si l'on a obtenu des taux, il suffit de les transformer en quotients et l'on revient en conséquence au cas précédent.

Analyse longitudinale et transversale

Dans toutes les analyses précédentes, nous avons observé l'intensité et le calendrier d'un phénomène (nuptialité, fécondité, mortalité) au sein d'une cohorte de naissances. Cette façon de procéder est appelée *analyse longitudinale* ou *analyse par cohorte*, et elle porte nécessairement sur une longue série d'années de calendrier. On peut toutefois aussi observer un ensemble de cohortes au cours d'une année de calendrier. Il s'agit alors d'une *analyse transversale*, encore appelée *analyse du moment*. Ainsi, à la figure 10 est repris un ensemble de cohortes féminines observées pendant une année de calendrier[9]. Les chiffres représentent les décès survenus dans chaque groupe d'âges au cours de l'année d'observation, et les effectifs moyens de survivants observés dans chaque groupe d'âges au cours de l'année[10]. Ces renseignements permettent le calcul des taux de mortalité par groupe d'âges :

Ages exacts	Taux de mortalité	
0- 5	3 246/491 885	= 0,00660
5-10	338/482 926	= 0,00070
10-15	241/481 479	= 0,00050
....	....	....

Ces taux de mortalité reflètent la mortalité au cours de l'année, abstraction faite de l'influence du nombre de survivants sur le nombre de décès observés.

Si l'analyse par cohorte a pour but de déterminer l'intensité et le calendrier des phénomènes, l'analyse transversale a essentiellement pour objectif d'évaluer pour le nombre total de décès, observés par exemple pendant une année de calendrier, la part due aux effectifs selon l'âge et la part due aux propensions à mourir. Avec les mêmes taux de mortalité que ceux calculés ci-dessus, mais avec d'autres effectifs par âge (une autre *structure absolue* par âge), le nombre de décès pourrait être bien différent de celui observé

9. Pour ne pas devoir réduire l'échelle de la figure, l'axe des âges a été dédoublé : insistons sur le fait qu'il s'agit toutefois de données se rapportant à une seule et même année d'observation.
10. Ces effectifs correspondent, en gros, à la somme des années vécues par les survivants, dans chaque groupe d'âges, pendant l'année d'observation.

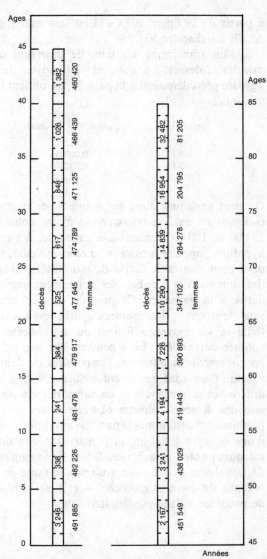

Figure 10. Décès par groupes d'âges et effectifs féminins moyens en analyse du moment.

à partir de la figure 10. Ce point sera examiné en plus de détails au chapitre VII.

Si l'on transforme les taux de mortalité du moment, calculés ci-dessus, en quotients au moyen de la formule signalée précédemment à la page 54, on obtient les quotients suivants :

Ages exacts	Quotients de mortalité
0- 5	0,03246
5-10	0,00349
10-15	0,00250
....	....

On peut appliquer aussi les quotients de mortalité, relevés ci-dessus en analyse transversale, à une cohorte fictive de 10 000 ou 100 000 femmes à la naissance. A l'appui de cette hypothèse, appelée *artifice de la cohorte fictive*, il est loisible de dresser une table fictive de mortalité semblable à celles des annexes A et B et calculer notamment une vie moyenne fictive à la naissance. Ce procédé, très courant, n'est pas sans reproche : les mesures synthétiques calculées ainsi (telle la vie moyenne fictive) ne se rapportent à aucune cohorte particulière. Elles peuvent être très influencées par les circonstances purement temporaires de l'année d'observation. Elles sont également influencées à la fois par les différences d'intensité[11] et de calendrier du phénomène au sein des diverses cohortes observées, sans que l'on puisse parfaitement déterminer la part due aux différences d'intensité d'une cohorte à l'autre, et la part due aux différences de calendrier entre les cohortes. Il faut donc employer l'artifice de la cohorte fictive avec prudence et faute de mieux si le manque de données empêche — et c'est souvent le cas — de procéder à l'analyse longitudinale.

---

11. Ceci ne joue pas pour la mortalité, mais bien pour les autres phénomènes démographiques.

CHAPITRE IV

Méthodes élémentaires d'analyse de la natalité

Interférences entre la fécondité et la mortalité

Au chapitre précédent on a vu comment déterminer l'intensité et le calendrier de la fécondité en l'absence de phénomènes perturbateurs. Le but du présent chapitre consiste essentiellement à examiner comment on peut déterminer des mesures à l'état pur à partir d'une *observation perturbée*. Pour ne pas alourdir l'exposé, la mortalité sera seule envisagée en tant que phénomène perturbateur. Dans la réalité, la migration intervient bien sûr aussi, mais l'extrapolation des techniques pour tenir également compte de la migration est immédiate. On partira ici des figures 11 et 12 qui fournissent les effectifs féminins, aux âges exacts, subsistant à la mortalité, celle-ci étant définie par les tables de mortalité des annexes A et B respectivement, ainsi que les naissances survenues dans chaque groupe d'âges, la natalité à l'état pur étant celle de la page 46.

Dans la cohorte sans perturbation, nous avions observé 43 250 naissances au total (page 47) entre 15 et 50 ans exacts. Nous en observons respectivement ici 41 000 (somme des naissances de la figure 11), et 31 685 (somme des naissances de la figure 12). Le nombre moyen de naissances par rapport aux femmes âgées de 15 ans exacts (respectivement 9 618 et 7 877) s'élève donc à 4,26 et 4,02 au lieu de 4,325 à l'état pur. Les divergences sont dues évidemment

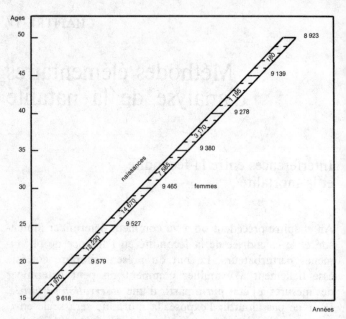

Figure 11. Naissances et effectifs féminins avec intervention de la mortalité (e₀ = 69).

à l'influence perturbatrice de la mortalité qui réduit l'effectif féminin entre les âges exacts considérés.

Naissances réduites selon l'âge des mères, en analyse longitudinale

En vue d'évaluer l'intensité de la fécondité, on calculera les *naissances réduites* à chaque groupe d'âges, en divisant le nombre de naissances réellement observées dans chaque groupe par l'effectif moyen de femmes âgées de x et x+5 ans

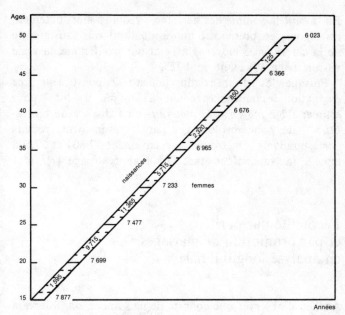

Figure 12. Naissances et effectifs féminins avec intervention de la mortalité ($e_0 = 50$).

exacts, moyenne sensiblement égale à l'effectif survivant à l'âge $x + 2,5$ exact. On obtient le tableau 2.

	Données de la figure 11		Données de la figure 12	
Ages	Effectif moyen	Naissances réduites	Effectif moyen	Naissances réduites
15-20	9 598	0,2052	7 788	0,2048
20-25	9 553	1,2802	7 588	1,2803
25-30	9 496	1,5448	7 355	1,5452
30-35	9 423	0,8049	7 099	0,8050
35-40	9 329	0,3398	6 821	0,3401
40-45	9 209	0,1297	6 521	0,1303
45-50	9 031	0,0199	6 195	0,0201
	Total	4,3245	Total	4,3258

Tableau 2. Naissances réduites par groupes d'âges.

En faisant la somme des naissances réduites ainsi obtenues, on est mis en présence d'une évaluation[1] très satisfaisante de la *descendance moyenne* à l'état pur par femme, la vraie valeur (page 47) étant de 4,325.

Puisque les données du tableau 2 constituent une évaluation des naissances réduites à l'état pur, il suffit — pour estimer l'*âge moyen à la maternité* en l'absence de mortalité — de pondérer les âges par les événements réduits correspondants. On trouve respectivement 27,804 et 27,808 années, la vraie valeur étant 27,806 années (page 47).

Fécondité par parité et par promotion de mariages, en analyse longitudinale

Au lieu d'observer une cohorte de naissances, on observera une *cohorte de parité*, c'est-à-dire un ensemble de femmes ayant mis au monde un enfant de rang n au cours d'une année déterminée. Les naissances de rang n + 1 se distribueront ainsi selon la durée écoulée depuis la naissance de rang n. L'intérêt de cette observation est dû au fait que, dans les populations qui recourent à la limitation volontaire des naissances, la fécondité ne dépend pas seulement de l'âge de la femme mais surtout du *nombre d'enfants déjà nés* (la parité). Au sein de cette cohorte de parité, on calculera les *naissances réduites* de rang n + 1, en divisant les naissances de rang n + 1 observées à une certaine durée écoulée depuis la naissance de rang n par l'effectif de femmes ayant mis au monde un enfant de rang n, et subsistant aux perturbations (mortalité, etc.) à la durée

---

1. Sous certaines conditions que nous n'énonçons pas ici et qui sont notamment d'autant moins satisfaites que l'intervalle d'âge est grand.

considérée. En additionnant ces naissances réduites de rang n + 1, on obtiendra la descendance moyenne de rang n + 1 par femme de parité n, appelée *probabilité d'agrandissement des familles ayant n enfants* car elle indique la fréquence de passage de la parité n à la parité n + 1.

Toujours au sein de la cohorte de parité n, si l'on pondère les durées écoulées entre les naissances de rang n et celles de rang n + 1 par les naissances réduites de rang n + 1 à ces durées, on obtient la durée moyenne qui sépare les naissances de rang n et de rang n + 1 — durée moyenne étant appelée l'*intervalle intergénésique* moyen entre les naissances de rang n et n + 1.

Quand les données disponibles ne permettent pas d'observer la fécondité au sein de cohortes de parité, on peut — étant donné la liaison existant généralement entre la parité et la durée du mariage — calculer des naissances réduites par *promotion de mariages* constituée par des effectifs féminins (ou éventuellement masculins) mariés au cours d'une année déterminée. En divisant le nombre de naissances légitimes observées à chaque durée de mariage par l'effectif subsistant de la promotion, on obtient alors une évaluation des naissances réduites à l'état pur par promotion de mariages.

On notera qu'en pratique les effectifs subsistants d'une cohorte de mariages ou d'une cohorte de parité sont inconnus, sauf à l'instant du recensement. Dans le calcul des naissances réduites, on utilisera, à titre de palliatif, l'*effectif initial* de la cohorte (de mariages, de parité) à la place de l'effectif subsistant, ceci aboutit toutefois à sous-évaluer les naissances réduites à l'état pur et les mesures d'intensité et de calendrier qui en découlent, puisque l'effectif initial est généralement supérieur à l'effectif subsistant.

Mesures transversales
de la natalité

En supposant qu'au cours d'une année déterminée, on ait enregistré dans une population 316 772 naissances masculines et féminines, la population moyenne observée au cours de l'année s'élevant à 9 955 914 hommes et femmes, le « *taux* »[2] *brut de natalité* dans cette population est obtenu simplement en divisant ce nombre de naissances par l'effectif de la population : 316 772/9 935 914 = 31,88 ‰.

Le résultat est généralement exprimé en « pour mille personnes ».

Le « taux » brut est, il est vrai, une mesure très sommaire : il ne fait qu'éliminer l'influence de l'effectif total de la population. Une mesure plus satisfaisante, éliminant l'influence de la structure par âge, peut être obtenue si les naissances sont réparties selon l'âge des femmes au cours de l'année considérée. La figure 13 présente la répartition des 316 772 naissances observées selon les classes d'âges des mères, les effectifs féminins mariés ou non étant également repris sur le diagramme de Lexis. On a observé de la sorte 15 966 naissances dans le groupe d'âges 15-20, 97 126 naissances dans le groupe 20-25, etc. Les effectifs féminins, observés en moyenne au cours de l'année, sont 389 403 (groupe 15-20), 379 398 (groupe 20-25), etc. On calcule ici les « *taux* » *de fécondité générale par groupes d'âges des mères* en divisant le nombre de naissances observées dans chaque groupe d'âges par l'effectif féminin, marié ou non, de ce groupe (tableau 3).

2. Rappelons, comme on l'a signalé plus haut, que lorsque la terminologie courante utilise le terme « taux » dans un autre sens que celui défini à la page 53, on mettra le terme « taux » entre guillemets.

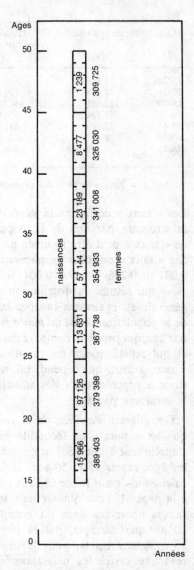

Figure 13. Naissances par groupes d'âges et effectifs féminins moyens en analyse du moment.

Ages	Naissances annuelles	Population féminine moyenne	« Taux » de fécondité générale
(1)	(2)	(3)	(4) = (2 : 3)
15-20	15 966	389 403	0,041
20-25	97 126	379 398	0,256
25-30	113 631	367 738	0,309
30-35	57 144	354 933	0,161
35-40	23 189	341 008	0,068
40-45	8 477	326 030	0,026
45-50	1 239	309 725	0,004

Tableau 3. « Taux » de fécondité générale par groupes d'âges.

Les « taux » de fécondité générale ne dépendent plus de la structure par âge de la population. Cette distribution de « taux » peut être résumée par la moyenne arithmétique des « taux » ou, plus simplement encore, par leur somme : 0,041 + 0,256 + ... + 0,004, soit 0,865. Cet *indice synthétique* qui résume la distribution des « taux » de fécondité générale est également indépendant de la structure par âge de la population : c'est un *indice standardisé* pour la structure par âge, qui peut être comparé dans le temps ou dans l'espace et qui reflète mieux les variations de la fécondité que le « taux » brut, qui dépend, lui, non seulement des propensions à procréer mais des effectifs par âge, c'est-à-dire de la *structure* par âge.

On utilisera l'*artifice de la cohorte fictive* en supposant que les « taux » de fécondité générale, calculés ci-dessus, s'appliquent à une génération sans mortalité observée entre les âges exacts 15 et 50 ans. Il faut comparer les « taux » calculés ci-dessus (page 66) aux naissances réduites obtenues à la page 61. Pour obtenir les « taux », on a divisé les naissances observées dans un groupe d'âge quinquennal, 15-20 ans par exemple, par la population féminine âgée de 15 à 50 ans exacts; pour les naissances réduites, on a en revanche divisé les naissances observées dans le groupe quinquennal d'âges 15-20 par la moyenne des effectifs à

15 et 20 ans exacts — moyenne qui correspond plus ou moins à l'effectif âgé de 17,5 ans exacts. Celle-ci est environ 5 fois plus petite que le dénominateur du « taux » de fécondité générale, si bien que l'on passe du « taux » quinquennal de fécondité générale aux naissances réduites en multipliant le « taux » par l'intervalle de la classe d'âge, 5 dans le présent cas[3]. On obtient dès lors les *naissances réduites fictives* suivantes (tableau 4).

Ages exacts	« Taux » de fécondité générale × 5	Naissances réduites fictives
15-20	$0,041 \times 5 =$	0,2050
20-25	$0,256 \times 5 =$	1,2800
25-30	$0,309 \times 5 =$	1,5450
30-35	$0,161 \times 5 =$	0,8050
35-40	$0,068 \times 5 =$	0,3400
40-45	$0,026 \times 5 =$	0,1300
45-50	$0,004 \times 5 =$	0,0200
		Total : 4,3250

Tableau 4. Naissances réduites fictives.

On pourra remarquer que le même résultat total (4,325) peut être obtenu en multipliant simplement la somme des « taux » de fécondité générale (0,865) par 5. Le total équivaut à la *descendance moyenne fictive* par femme que l'on aurait constaté dans une cohorte fictive sans mortalité, qui présenterait dans chaque groupe d'âges les « taux » de fécondité générale de la page 66, donc les naissances réduites correspondantes reprises au tableau 4. Cette descendance fictive souffre, il va sans dire, des défauts signalés à la page 58.

Toujours dans l'optique de la cohorte fictive, on calculera ensuite la descendance moyenne *féminine* par femme; ce nombre moyen de filles par femme en l'absence de mortalité

3. Dans le cas d'un intervalle d'âge d'*un an*, « taux » de fécondité générale et naissances réduites sont équivalents.

s'appelle le « *taux* » brut[4] *de reproduction du moment*. La descendance garçons et filles s'élève (page 67) à 4,325 enfants. Or, à la naissance, on observe généralement 105 naissances de garçons pour 100 naissances de filles *(rapport de masculinité à la naissance)*. La descendance moyenne féminine fictive est donc de

$$4,325 \left(\frac{100}{205}\right)$$

ou 4,325 (0,488), soit 2,11 filles par femme.

Cette descendance féminine fictive est également entachée des défauts signalés à la page 58. Elle n'apporte, de surcroît, aucune information de plus que ne le fait la descendance garçons et filles fictive, calculée ci-dessus puisque cette dernière a été multipliée par une constante (0,488) en vue d'obtenir le « taux » brut de reproduction. Ce « taux » a été couramment utilisé, il y a quelques années, afin de prévoir le *remplacement* des générations. L'optique transversale d'analyse adoptée ici enlève toutefois tout intérêt à ce genre de calcul, le remplacement des générations devant nécessairement être abordé dans l'optique longitudinale d'analyse.

Le nombre de naissances observées dans chaque classe d'âges des mères dépend, bien sûr, de l'effectif féminin, marié ou non, ayant ces âges. En supposant maintenant que la fécondité illégitime soit négligeable, on verra que les naissances de la figure 13 sont donc toutes *légitimes* et dépendent maintenant de l'effectif de *femmes mariées* aux âges considérés, à savoir les effectifs de femmes mariées repris par groupes d'âges au tableau 5.

En divisant les naissances reprises à la figure 13, supposées ici toutes légitimes, par les effectifs mariés correspondants, on obtient les « *taux* » *de fécondité légitime* du tableau 5,

---

4. En tenant compte de l'action de la mortalité, on peut également calculer un « taux » net de reproduction. On n'envisagera pas ce calcul ici.

Ages	Effectifs féminins mariés	« Taux » de fécondité légitime
15-20	44 532	0,3585
20-25	264 440	0,3673
25-30	342 574	0,3317
30-35	332 995	0,1716
35-40	309 703	0,0749
40-45	279 078	0,0304
45-50	241 632	0,0051

Tableau 5. Effectifs féminins mariés et « taux » de fécondité légitime.

qui permettent d'éliminer ainsi l'influence de la *structure par âge et par état civil*. Lorsque la fécondité illégitime n'est pas négligeable, on peut compléter l'analyse en calculant également des « *taux* » *de fécondité illégitime* en rapportant les naissances illégitimes pour chaque groupe d'âges des mères à l'effectif des femmes non mariées de ce même groupe d'âges.

Il y a lieu de reprendre ici l'artifice de la cohorte fictive et supposer que les « taux » de fécondité légitime s'appliquent à une cohorte de femmes mariées, observées entre les âges 15 à 50 ans. Si la fécondité légitime ne dépend que de l'âge de la femme (et ce sera plus ou moins le cas dans les pays qui ne recourent pas à la limitation volontaire des naissances), la *descendance moyenne fictive par femme mariée* sera obtenue en faisant la somme des « taux » de fécondité légitime et en les multipliant par l'intervalle de classe, ici 5 ans. On obtient dans le cas présent 6,698 enfants légitimes par femme mariée en moyenne.

Dans les pays qui recourent à la limitation volontaire des naissances, la fécondité légitime ne dépend pas seulement de l'âge de la femme mais également de la durée du mariage et surtout du nombre d'enfants déjà nés (la *parité* de la femme). Dans ce cas, la somme des « taux » de fécondité légitime ne correspond plus à la descendance moyenne par femme mariée, puisqu'à âge égal les « taux » varieront fort d'après la durée du mariage et la parité.

Mesures non conventionnelles d'analyse de la natalité

Au sein de la plupart des pays en développement, la collecte des données ne permet pas de calculer les diverses mesures de natalité introduites aux paragraphes précédents. L'enregistrement des naissances est fréquemment défectueux ou parfois inexistant, et les structures par âge sont mal connues à la suite d'erreurs et d'omissions dans les recensements.

Un moyen de remédier aux défauts et lacunes de l'enregistrement des naissances est de recourir à des *questions rétrospectives* posées aux femmes, lors des recensements ou enquêtes. Dans le domaine de la fécondité, on peut recueillir ainsi des données sur la descendance totale (nés vivants) des femmes classées par groupes d'âges, ainsi que sur les naissances survenues au cours des 12 mois précédant le recensement ou l'enquête. Ces deux types d'observations ne sont pas parfaits; ils présentent toutefois des défauts et avantages plus ou moins complémentaires dont W. Brass[5] a pu tirer parti par une méthode ingénieuse trop compliquée toutefois pour être reprise ici.

Une autre technique non conventionnelle d'analyse se base sur la constatation que la structure par âge observée à un instant donné est parfois proche de la structure limite *(structure stable)* que l'on obtiendrait en projetant la population indéfiniment avec les « taux » de fécondité et de mortalité par âges, maintenus constants. Tel sera le cas lorsque

5. Voir notamment Coale A. J. et Demeny P., *Méthodes permettant d'estimer les mesures démographiques fondamentales à partir de données incomplètes*, Nations unies ST/SOA/Série A/42, New York, 1969, chapitre II.

la fécondité et la mortalité de la population n'ont guère varié au cours du temps. Même lorsque la mortalité est en baisse, la structure par âge ressemblera encore fort à la structure limite stable, si bien que l'on pourra utiliser les propriétés théoriques de cette dernière, moyennant certains amendements, en vue d'évaluer la fécondité réelle de la population observée. La méthode est toutefois complexe et ne peut être détaillée dans le cadre de cet ouvrage.

D'autres méthodes indirectes d'analyse de la natalité existent encore. Nous ne pouvons toutes les signaler. On notera seulement que certaines se basent sur la constatation que l'effectif d'un groupe d'âges à un moment donné est égal à l'effectif initial à la naissance moins les décès et les émigrations, plus les immigrations. Si l'on connaît la mortalité et la mobilité spatiale, ou si l'on peut les évaluer indirectement, il est possible d'estimer dès lors les effectifs initiaux à la naissance des cohortes observées.

Les méthodes non conventionnelles constituent actuellement un palliatif au manque de données adéquates. Elles ne peuvent remplacer complètement les méthodes traditionnelles d'analyse de la fécondité. Parallèlement au développement de méthodes non conventionnelles d'analyse, il demeure indispensable d'améliorer la collecte des données (recensement, état civil, enquêtes), car seule une observation satisfaisante permettra, en fin de compte, d'analyser la fécondité d'une façon suffisamment précise.

CHAPITRE V

Méthodes élémentaires
d'analyse de la mortalité

Les interférences entre la mortalité
et la mobilité spatiale

Dans le chapitre précédent, on a examiné le problème de l'élimination de l'influence perturbatrice de la mortalité lorsqu'on analyse la fécondité d'une population, afin de caractériser cette fécondité à l'état pur. De même, dans ce chapitre consacré cette fois à la mortalité, nous serons amenés à dégager la mortalité de l'influence perturbatrice de la mobilité spatiale.

La figure 14[1] reprend l'effectif réduit par la mortalité et l'émigration d'une cohorte féminine de 100 000 individus à la naissance, la mortalité étant celle du tableau annexe B et la mobilité spatiale celle de la page 91, puisque nous nous limitons uniquement à l'influence perturbatrice de l'émigration. On relève, entre 0 et 5 ans exacts, 1 908 émigrations et 17 962 décès, entre 5 et 10 ans exacts, 1 114 émigrations et 1 700 décès, etc. Le nombre de survivants à la mortalité et à l'émigration sera donc de 80 130 femmes à 5 ans exacts, 77 316 à 10 ans exacts, etc. Le problème consiste à évaluer les risques de décès par groupe d'âges à l'état pur, et d'établir une estimation de la vie moyenne à la naissance qui ne soit pas influencée par l'émigration, donc de retomber sur les données de la page 51.

---

1. Comme précédemment, la cohorte a été scindée en deux tronçons.

Quotients de mortalité et table de mortalité, en analyse longitudinale

A partir des données de la figure 14, on peut établir approximativement les quotients de mortalité *en l'absence d'émigration*. On peut démontrer que le quotient corrigé de mortalité, éliminant l'influence perturbatrice de la migration entre les âges exacts x et x + 5, peut être évalué par la formule :

$$_5q_x = \frac{_5D_x}{S_x - \frac{_5E_x}{2}}$$

où :

$_5D_x$ sont les décès réellement observés entre les âges exacts x et x + 5;

S_x est l'effectif de survivants à l'âge exact x;

$_5E_x$ sont les émigrations réellement observées entre les âges exacts x et x + 5.

Avec les données de la figure 14, on obtient la colonne $_5q_x$ du tableau-annexe D. La différence entre cette colonne et les $_5q_x$ du tableau-annexe B est due au fait que la formule ci-dessus n'est qu'approximative. A partir des quotients évalués à l'état pur de l'annexe D, il est facile de calculer la *table de mortalité* correspondante, selon le procédé décrit à la page 53. On notera $_5d_x$ les *décès de la table* entre les âges exacts x et x + 5, et 1_x les survivants *de la table* à l'âge exact x. On aura évidemment[2] :

---

2. L'effectif 1_0 est arbitraire : on l'a pris ici égal à 100 000.

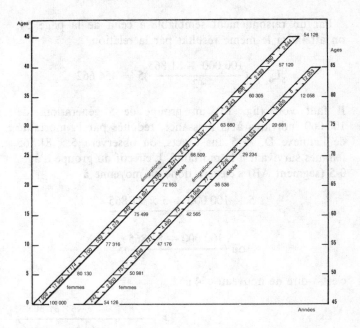

Fig. 14. Décès, émigrations et effectifs féminins.

$$l_x \, _5q_x = \, _5d_x$$
$$\text{et } l_x - \, _5d_x = l_{x+5}$$

puisque les quotients calculés ont éliminé l'influence perturbatrice de l'émigration.

En calculant le *nombre d'années vécues* $_5L_x$ entre les âges exacts x et x + 5, par un raisonnement similaire à celui de la page 53, on obtient pour le groupe d'âges 0-5 : 81 865 × 5 années pour les survivantes de la table à l'âge exact 5; 18 135 × 2,5 années pour les décès de la table survenus entre les âges 0 et 5; soit un total de 454 662 années.

Par un raisonnement semblable à celui de la page 54, on atteindra le même résultat par la relation

$$_5L_0 = (\frac{100\,000 + 81\,865}{2})5 = 454\,662$$

Il faut voir (fig. 15) un groupe de 5 générations de 100 000 individus à la naissance, réduites par la mortalité de l'annexe D. A 5 ans exacts, on observera $5 \times 81\,865$ femmes survivant à la mortalité. L'effectif du groupe d'âges 0-5 (segment AB) s'élèvera donc en moyenne à

$$\frac{5 \times 100\,000 + 5 \times 81\,865}{2}$$

$$ou\ (\frac{100\,000 + 81\,865}{2})5$$

c'est-à-dire de nouveau 454 662.

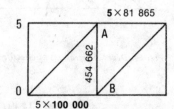

Figure 15.

En d'autres termes — le calcul étant semblable pour les autres groupes d'âges — la colonne $_5L_x$ peut être considérée comme le nombre d'années vécues par les survivantes entre les âges exacts x à x + 5, ou comme l'effectif de la *population* (dite « *stationnaire* ») du groupe d'âges x à x + 5.

Il s'agit de calculer la *probabilité*, pour l'effectif de 0 à 5 ans exacts ($_5L_0$), *de survivre* pendant 5 ans, l'effectif survivant 5 ans plus tard, dans la table de mortalité, étant $_5L_5$, soit 404 952. La probabilité de survie $_5P_0$ est donc :

$$_5P_0 = \frac{_5L_5}{_5L_0} = \frac{404\,952}{454\,662}$$
$$= 0,89066.$$

Le calcul est semblable pour les autres groupes d'âges. Ces probabilités $_5P_x$ sont utilisées (sous le nom de « taux » de survie) notamment dans les projections démographiques pour calculer les perspectives de survivants par groupes d'âges.

Enfin, la *vie moyenne* s'obtient comme vu précédemment (page 47). Il est susceptible de la calculer autrement en considérant qu'il s'agit du nombre total d'années vécues depuis la naissance, divisé par l'effectif à la naissance. Le nombre total d'années vécues entre 0 et 5 ans est de 454 662, entre 5 et 10 ans de 404 952, etc. Le total des années vécues depuis la naissance vaut donc :

454 662 + 404 952 + ... + 36 067, soit 4 996 516.

En divisant ce total par l'effectif à la naissance (100 000), on en arrive au nombre moyen d'années vécues depuis la naissance (c'est-à-dire la vie moyenne), ici 49,97 années.

On verra, au chapitre VI, comment calculer des quotients d'émigration. Grâce aux quotients d'émigration obtenus à la page 90, on peut calculer une *table de mortalité et d'émigration*, l'effectif à la naissance étant réduit à la fois sous l'action de l'émigration et de la mortalité. Si $_5q_x$ est la probabilité de mourir entre les âges exacts x et x + 5, et $_5\varepsilon_x$ est la probabilité d'émigrer entre les mêmes âges, la probabilité d'échapper à la fois à la mortalité et à l'émigration entre les âges exacts x et x + 5 s'écrit[3] :

$$(1 - {}_5q_x)\,(1 - {}_5\varepsilon_x).$$

En partant de nouveau d'un effectif à la naissance de 100 000 femmes, les quotients $_5q_x$ et $_5\varepsilon_x$ étant ceux de l'annexe D et de l'annexe F, on utilise la relation ci-dessus :

3. Si les deux phénomènes (mortalité, émigration) sont indépendants.

Ages exacts	Survivants	
0		100 000
5	100 000 (1 − 0,18135) (1 − 0,02096) =	80 149
10	80 149 (1 − 0,02136) (1 − 0,01405) =	77 335
15	77 335 (1 − 0,01659) (1 − 0,00703) =	75 517
...	....	

Et l'on obtient ainsi le tableau 6.

Ages exacts	Survivants (mortalité et émigration)
0	100 000
5	80 149
10	77 335
15	75 517
20	72 971
25	68 527
30	63 898
35	60 322
40	57 137
45	54 143
50	50 998
55	47 192
60	42 580
65	36 549
70	29 245
75	20 690
80	12 064

Tableau 6. Survivants à la mortalité et à l'émigration.

La différence entre ces effectifs et la population de la figure 14 provient de l'approximation introduite dans l'évaluation des quotients de mortalité et d'émigration. A partir des données ci-dessus, il est possible de calculer une « vie moyenne », tenant compte à la fois de la mortalité et de l'émigration; on obtient 44,97 années contre 49,97, quand seule la mortalité était en cause.

Mesures de la mortalité
en analyse transversale

En examinant telle population pendant une année de calendrier, on y enregistre 204 998 décès masculins et féminins pour une population totale de 9 955 914 habitants, observée en moyenne au cours de l'année. Le « *taux* » *brut de mortalité* vaut dès lors :

$$\frac{204\,998}{9\,955\,914} = 20,59\ \%_{00}$$

Il s'agit d'une mesure parallèle à celle vue à la page 64 dans le domaine de la natalité. Ici aussi, l'indice est très grossier puisqu'il ne tient compte que de la population totale et de l'ensemble des décès. Nous pouvons toutefois calculer, à l'aide des « taux » bruts de natalité (31,88 %_{00}) et de mortalité (20,59 %_{00}) le « *taux* » *d'accroissement naturel* de la population pendant l'année grâce à la relation : « taux » d'accroissement naturel égale « taux » brut de natalité moins « taux » brut de mortalité. Dans notre exemple, on aura donc 31,88 %_{00} moins 20,59 %_{00}, soit 11,29 %_{00}.

Comme dans le domaine de la natalité (page 64), une analyse plus satisfaisante de la mortalité du moment peut être effectuée si les décès sont répartis par âge ou groupe d'âges et si l'on connaît la structure par âge de la population. A la figure 16[4], les décès féminins sont répartis par groupes quinquennaux d'âges : 18 152 décès dans le groupe d'âges 0 à 5, 1 748 décès dans le groupe 5 à 10, etc. On connaît, de plus, les effectifs moyens féminins observés au cours de l'année : 454 620 dans le groupe d'âges 0 à 5 ans, 404 870 dans le groupe 5 à 10 ans, etc. On calcule les *taux de mortalité* en divisant les décès observés dans chaque groupe

---

4. A nouveau, l'axe des âges a été dédoublé, pour ne pas réduire la figure.

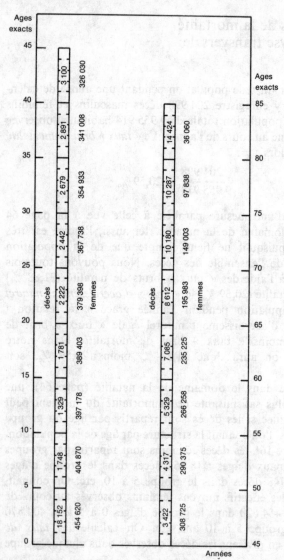

Ages exacts

45	
	3 100 / 326 030
40	
	2 891 / 341 008
35	
	2 679 / 354 933
30	
	2 442 / 367 738
25	
	2 222 / 379 398
20	
	1 781 / 389 403
15	
	1 329 / 397 178
10	
	1 748 / 404 870
5	
	18 152 / 454 620
0	

décès   femmes

Ages exacts

85	
	14 424 / 36 060
80	
	10 287 / 97 838
75	
	10 180 / 149 003
70	
	8 612 / 195 983
65	
	7 085 / 235 225
60	
	5 329 / 266 258
55	
	4 317 / 290 375
50	
	3 422 / 308 725
45	

décès   femmes

Années

Figure 16. Décès par groupes d'âges et effectifs féminins moyens en analyse du moment.

d'âges par l'effectif féminin de ce groupe; cet effectif moyen correspond grossièrement au nombre d'années vécues par les survivants du groupe d'âges pendant l'année d'observation (tableau 7).

Ages exacts	Décès annuels	Population féminine moyenne	Taux de mortalité
0- 5	18 152	454 620	0,03993
5-10	1 748	404 870	0,00432
10-15	1 329	397 178	0,00335
15-20	1 781	389 403	0,00457
20-25	2 222	379 398	0,00586
25-30	2 442	367 738	0,00664
......	......	....	....

Tableau 7. Taux de mortalité par groupes d'âges.

Contrairement au « taux » brut de mortalité, les taux de mortalité par âge reflètent les propensions à mourir indépendamment de la structure par âge de la population.

On peut derechef recourir à l'artifice de la cohorte fictive en supposant que les taux de mortalité du moment, calculés ci-dessus, s'appliquent à une génération sans migration observée depuis l'instant de la naissance. Pour cela, il y a lieu de transformer les taux en *quotients de mortalité du moment* par la formule donnée à la page 54 :

$$_5q_x = \frac{10 \; _5t_x}{2 + 5 \; _5t_x}$$

où

$_5q_x$ est le quotient de mortalité portant sur le groupe d'âges x à x + 5 exacts;

$_5t_x$ est le taux de mortalité portant sur le même groupe d'âges.

Avec les données précédentes, on obtient :

$$_5q_0 = \frac{10\,(0,03993)}{2 + 5\,(0,03993)} = 0,18153$$

et ainsi de suite pour les autres groupes d'âges (tableau 8).

Ages exacts	Quotients de mortalité
0- 5	0,18153
5-10	0,02137
10-15	0,01661
15-20	0,02260
20-25	0,02888
25-30	0,03266
....	....

Tableau 8. Quotients de mortalité du moment.

Par le calcul des quotients de mortalité à partir des taux, il est aisé de déterminer — toujours selon l'artifice de la cohorte fictive — la *table de mortalité du moment*. On partira d'un effectif arbitraire de 10 000 naissances fictives, auquel on applique le risque de mourir entre les âges exacts 0 et 5 : 10 000 × 0,18153 : on obtient 1 815 décès entre 0 et 5 ans. L'effectif subsistant, dans la table, à l'âge exact de 5 ans sera donc 10 000 moins 1 815, soit 8 185. En multipliant cet effectif par la probabilité de mourir entre 5 et 10 ans, c'est-à-dire 8 185 (0,02137), on obtient ainsi 175 décès fictifs. L'effectif subsistant à 10 ans exacts sera donc de 8 185 moins 175, soit 8 010. On procède de même pour les autres groupes d'âges et on établit la table de mortalité du moment reprise à l'annexe E. On obtient immédiatement la vie moyenne fictive du moment en sommant les $_5L_x$ et en divisant par l'effectif initial à 0 an exact (page 77) :

$$\frac{499\,533}{10\,000} = 49,95 \text{ ans.}$$

Cette espérance de vie fictive constitue un bon indice synthétique de mortalité du moment, standardisé pour la structure par âge de la population observée. Si l'on veut utiliser un indice unique résumant les conditions de mortalité du moment, la vie moyenne fictive est donc un bien meilleur indice que le « taux » brut de mortalité puisque celui-ci dépend fort de la structure par âge de la population. Il importe d'insister une fois encore sur le fait qu'en tant qu'indice du moment, cette vie moyenne fictive ne se rapporte à aucune génération bien précise. Il s'agit uniquement d'un indice synthétique résumant les risques de mourir se rapportant à un ensemble de cohortes observées au cours d'une certaine période de calendrier.

Les tables-types de mortalité

Pour pallier le manque de données concernant la mortalité dans les pays en développement, divers chercheurs ont élaboré des tables de mortalité modèles que l'on peut utiliser à défaut d'une connaissance plus approfondie de la mortalité du pays observé. Les premières tables-types de mortalité ont été publiées par les Nations unies en 1955. Elles n'étaient pas sans défauts; notamment, elles ne se basaient que sur un seul schéma de mortalité : un quotient de mortalité entre les âges exacts 0 et 1 déterminait une seule distribution de quotients selon l'âge. Plus récemment, on a construit des tables-types telles que, par exemple, à un quotient de mortalité infantile donné ne corresponde plus une seule distribution des quotients de mortalité aux autres âges (comme dans le cas des tables des Nations unies) mais plusieurs distributions présentant des schémas de mortalité différents selon les âges. On citera surtout à ce propos les tables-types publiées par A. J. Coale et P. Demeny à l'« Office of Population Research of Princeton University » et celles, plus récentes et plus perfectionnées encore, publiées par S. Ledermann à l'Institut National d'Etudes Démographiques de Paris.

A titre d'exemple de l'utilisation des tables-types, on supposera que l'on connaisse uniquement les quotients de mortalité $_5q_0$ (entre 0 et 5 ans exacts) et $_{20}q_{45}$ (entre 45 et 65 ans exacts). Les tables de Ledermann permettent d'évaluer les valeurs centrales des quotients quinquennaux de mortalité à tous les âges qui ont en commun les valeurs données de $_5q_0$ et $_{20}q_{45}$. Elles permettent également de connaître la dispersion autour de ces valeurs centrales des quotients quinquennaux, puisqu'il ne s'agit, en effet, que d'évaluations des vraies valeurs des quotients quinquennaux qui sont inconnues par hypothèse. A ce sujet, il est utile de signaler que cette dispersion peut être fréquemment assez grande; le risque d'erreur que l'on commet, en utilisant les valeurs centrales d'une table-type, peut donc de même être assez élevé. Il faut dès lors recourir à ce procédé avec prudence, en tant que palliatif temporaire au manque de données sur la mortalité dans les pays en développement.

Analyse de la mortalité dans le cas de données déficientes

Comme on vient de le signaler ci-dessus, le manque de données d'état civil sur les décès et les inexactitudes qui entachent les structures par âge provenant des recensements empêchent bien souvent le calcul d'indices, même sommaires, de mortalité. Aussi pouvons-nous parler ici de quelques méthodes qui sont utilisées couramment, à l'heure actuelle, pour remédier, du moins en partie, aux lacunes des moyens traditionnels d'observation.

Un premier ensemble de méthodes se base sur la constatation que la différence entre les effectifs d'une même cohorte recensée à deux dénombrements successifs, est due — en dehors d'erreurs dans la collecte des données — aux décès et aux migrations survenus au cours de la *période intercensitaire*. Si la migration a été négligeable, ou si l'on peut en tenir compte, la différence entre effectifs fournit le nombre de décès survenus dans la cohorte au cours de la période intercensitaire. Il est à remarquer que cette méthode ne permet pas de déterminer les décès aux jeunes âges, décès provenant des cohortes nées au cours de la période intercensitaire. Elle convient donc uniquement pour l'étude de la mortalité de la population adulte.

W. Brass a montré qu'une bonne évaluation de la mortalité des enfants pouvait être obtenue si le recensement ou l'enquête comporte des données sur la *proportion d'enfants survivants* selon les groupes d'âges des mères. Il y a bien sûr une liaison directe entre la proportion d'enfants qui survivent et l'importance des risques de décès, pour autant que l'on tienne compte d'une correction liée aux calendriers différents de fécondité d'une population à l'autre. La méthode convient mal, toutefois, à l'analyse de la mortalité des adultes.

Les méthodes exposées ci-dessus ont des avantages et des défauts complémentaires puisque la première convient bien à l'étude de la mortalité des adultes et la seconde à celle des enfants. Lorsque les données le permettent, on peut combiner les résultats des deux méthodes en vue d'obtenir des évaluations qui valent tant pour les jeunes que pour les adultes.

Enfin, on peut de nouveau utiliser les propriétés des populations stables (voir page 70) en vue d'étudier la mortalité. Rappelons qu'il faut, pour cela, que la fécondité soit restée plus ou moins constante dans le temps, la mortalité pouvant toutefois être en baisse. Et il est à signaler encore que cette méthode implique que la migration ne vienne pas perturber grandement la structure par âge et sexe de la population observée.

Comme on l'a souligné plus haut à propos de la natalité, ces méthodes non conventionnelles ne remplacent pas l'analyse classique. Il demeure indispensable d'améliorer la qualité des données fournies par l'état civil, le recensement et l'enquête.

Mortalité et morbidité

Une bonne analyse de la mortalité suppose l'étude des *décès selon la cause*. La collecte des données, à ce sujet, se base sur le certificat de décès rempli par le médecin qui a constaté le décès. De ce fait, elle souffre des erreurs de diagnostic et de l'imprécision des termes utilisés qui entachent fréquemment ces certificats, ainsi que des difficultés qui se posent lorsqu'on veut distinguer la cause initiale de la cause immédiate de décès. La cause immédiate du décès est l'affection directement responsable de l'issue fatale; la cause initiale est l'affection à l'origine de l'enchaînement de phénomènes pathologiques ayant conduit au décès. Toutefois, pour autant qu'on se limite à de grandes catégories, une analyse par cause de décès constitue un complément utile dans la mesure où elle permet néanmoins de dégager l'évolution des grandes catégories dans le temps ou la mortalité différentielle selon les régions. Une procédure analogue à la correction des quotients de mortalité pour l'émigration peut être employée ici : il s'agira de calculer un quotient de mortalité pour une cause Y en éliminant l'influence perturbatrice des autres causes de décès; le calcul peut être effectué à partir de la cause immédiate ou initiale, selon l'optique choisie. En notant S_x l'effectif de survivants à l'âge exact x, $_nD_x(Y)$ les décès dus à la cause Y survenus entre les âges exacts x et x + n, $_nD_x(\sim Y)$ les décès dus aux causes autres que Y entre les mêmes âges exacts, le quotient de mortalité pour la seule cause Y s'écrit :

$$_nq_x(Y) = \frac{_nD_x(Y)}{S_x - \frac{1}{2}\,_nD_x(\sim Y)}$$

Une autre voie d'approche, liée à l'analyse de la *morbidité* cette fois, est de calculer la *proportion d'issues fatales* parmi les individus atteints d'une maladie déterminée. On pourrait sans peine étendre l'analyse aux accidentés. Malheureusement, les sources statistiques nécessaires à une telle démarche sont limitées; le plus souvent, elles découlent de statistiques hospitalières et portent fréquemment ainsi sur de petits nombres. De plus, les mesures peuvent être biaisées, si la période d'observation est réduite par rapport à la durée normale de la maladie. Il faut donc interpréter ce genre de données avec prudence.

CHAPITRE VI

Méthodes élémentaires d'analyse de la mobilité spatiale

Interférences entre la mortalité et la mobilité spatiale

Le dernier phénomène démographique considéré dans cet ouvrage est la mobilité spatiale. Contrairement aux autres phénomènes étudiés jusqu'à présent, natalité et mortalité, la mobilité spatiale ne concerne pas seulement des événements frappant des individus au cours du temps (comme c'est le cas, par exemple, du décès) mais également des interactions entre populations sises dans des aires géographiques distinctes. La dimension *espace* s'ajoute ainsi à la dimension *temps*, soulevant des problèmes qui ne se posaient pas dans l'analyse de la natalité ni de la mortalité.

Les premiers paragraphes de ce chapitre traiteront de l'analyse de la migration dans le temps, abstraction faite de l'influence perturbatrice de la mortalité; le dernier paragraphe introduira, lui, la dimension *espace* en considérant l'orientation des migrations.

Nous avons présenté précédemment à la figure 14 une cohorte féminine de 100 000 individus à la naissance réduite par la mortalité et l'émigration. A la page 74, les quotients de mortalité ont été calculés en l'absence d'émigration; avec les mêmes données tirées de la figure 14, on peut également établir des *quotients d'émigration* en l'absence de mortalité. On utilisera ici une formule similaire à celle de la page 74 :

$$_5\varepsilon_x = \frac{_5E_x}{S_x - \frac{_5D_x}{2}}$$

où :

$_5\varepsilon_x$ est le quotient quiquennal d'émigration en l'absence de mortalité;

$_5E_x$ sont les émigrations réellement observées entre les âges exacts x et x + 5;

$_5D_x$ sont les décès réellement observés entre les âges exacts x et x + 5;

S_x est l'effectif de « survivants » en ce qui concerne la mortalité et l'émigration à l'âge exact x.

Par exemple, le quotient d'émigration entre les âges exacts 0 et 5, $_5\varepsilon_0$, vaut :

$$_5\varepsilon_0 = \frac{1\ 908}{100\ 000 - \frac{17\ 962}{2}}$$

$$= 0,02096$$

de même,

$$_5\varepsilon_5 = \frac{1\ 114}{80\ 130 - \frac{1\ 700}{2}}$$

$$= 0,01405$$

et ainsi de suite.

A partir des quotients d'émigration, il est facile d'établir une *table d'émigration* sans perturbations. Il suffit d'appliquer les quotients d'émigration obtenus ci-dessus à un effectif fictif de « survivants » par rapport à la migration à chaque âge. Ainsi, si l'on part d'un effectif fictif de 100 000 femmes à la naissance, on obtient les « survivants » s_x (à la migration)[1] :

1. Pour raison de facilité, nous utiliserons l'expression « les survivants à la mortalité et/ou l'émigration », bien qu'elle soit grammaticalement incorrecte.

$$100\,000\,(1 - 0{,}02096) = 97\,904 = s_5$$
$$97\,904\,(1 - 0{,}01405) = 96\,528 = s_{10}$$

etc.

L'ensemble de la table est reprise à l'Annexe F, $_5E_x$ représentant le nombre d'émigrants dans la table et $_5S_x$ le nombre d'années vécues par les « survivants » (à l'émigration) entre les âges x et x + 5 exacts.

Les calculs précédents, quotients d'émigration et table d'émigration, ne peuvent pas s'appliquer à l'*immigration*. Celle-ci constitue en effet un phénomène exogène à la population étudiée, si bien qu'on ne peut pas calculer un « risque d'immigrer » en se basant sur la population du lieu d'arrivée. L'immigration modifie toutefois les structures démographiques et agit sur les composants du mouvement par un apport direct d'une part et par une action induite sur la natalité et la mortalité d'autre part. Il est donc utile d'examiner l'impact de l'immigration sur les structures. On appellera $_5K_x$ la population recensée âgée de x à x + 5 années à un instant donné, et $_5I_x$ le nombre d'immigrants arrivés dans ce groupe de 5 cohortes au cours des 5 années (par exemple) qui suivent le recensement. L'accroissement proportionnel de l'effectif $_5K_x$ dû à la seule influence de l'immigration sera donc de $_5I_x$ / $_5K_x$ que l'on peut nommer une *proportion d'immigrants*. On insistera ici sur le fait que l'incorporation de l'immigration dans les principes d'analyse démographique n'est pas résolue, l'immigration, comme on vient de le dire, étant un phénomène exogène à la population observée. L'analyse migratoire s'est donc tournée notamment vers les problèmes d'*orientation des migrations* dans l'espace, sans résoudre celui de l'intensité des migrations. L'orientation des migrations sera quant à elle abordée à la fin de ce chapitre.

Migrations brute et nette

On considère $_5K_x(t)$ un effectif quinquennal observé à un instant t donné, et $_5D_x$ les décès observés dans ce groupe de 5 cohortes au cours d'une période de calendrier.

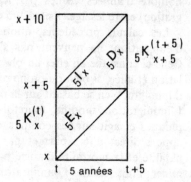

Figure 17.

L'effectif $_5K_{x+5}^{(t+5)}$ observé 5 ans plus tard pourra s'écrire (fig. 17) :

$$_5K_{x+5}^{(t+5)} = {}_5K_x^{(t)} - {}_5E_x + {}_5I_x - {}_5D_x$$

où $_5E_x$ et $_5I_x$ sont les émigrations et les immigrations, appelées *migrations brutes*. On notera que $_5N_x$ vaut $_5I_x$ moins $_5E_x$.

Dès lors, $_5N_x$ ou la *migration nette* (ou *solde migratoire*) sur la période quinquennale, s'obtient aisément[2] par l'expression :

$$_5N_x = {}_5K_{x+5}^{(t+5)} - {}_5K_x^{(t)} + {}_5D_x.$$

Si $_5N_x$ est positif, le nombre d'immigrants au cours de la période a dépassé le nombre d'émigrants, on parle alors

---

2. **Pour autant que l'on dispose de deux recensements de bonne qualité et d'un enregistrement adéquat des décès par générations.**

d'*immigration nette*. Lorsque le nombre d'émigrants dépasse au contraire le nombre d'immigrants, $_5N_x$ devient négatif et l'on parlera d'*émigration nette*.

On remarque qu'un faible volume de migration nette peut cacher des mouvements migratoires bruts très importants puisque seule la différence entre l'immigration et l'émigration peut être décelée. Une même différence peut évidemment être obtenue à partir de flux d'émigration et d'immigration faibles ou élevés; sans renseignements supplémentaires il est impossible de dégager l'importance des migrations brutes.

Evaluation de la migration à partir des probabilités de survie

Si l'on ne dispose pas d'un enregistrement continu des décès par génération, ou d'un enregistrement des mouvements migratoires, on peut malgré tout évaluer le solde migratoire intercensitaire par la méthode dite de la « population attendue ».

En considérant une population recensée à un instant t et dénombrée également 5 ans plus tard à l'instant t + 5, on dispose ainsi, par exemple, des effectifs survivants par groupes quinquennaux d'âges aux instants t et t + 5.

Groupes d'âges	Instant t	Instant t+5
. . . . .	. . . .	. . . .
15-20	389 403	. . . .
20-25	379 398	371 856
25-30	367 738	356 680
30-35	. . . .	. . . .
. . . . .	. . . .	. . . .

Si on examine l'effectif âgé de 20-25 ans en t + 5, soit 371 856, on constate qu'il est égal à l'effectif âgé de 15-20 ans en t, moins les décès et les émigrations, plus les immigrations. On supposera ici que les événements décès et migrations sont inconnus mais que l'on dispose toutefois de la table de mortalité couvrant la période intercensitaire considérée, la table de l'annexe B par exemple.

On utilisera la *méthode des probabilités de survie* en vue d'évaluer le solde migratoire (ou migration nette) dans chaque groupe de cohortes au cours de la période intercensitaire. D'après l'annexe B, les probabilités de survie $_5P_x$ sont les suivantes :

Groupes d'âges	$_5P_x$
....	....
15-20	0,97432
20-25	0,96927
25-30	0,96518
....	....

L'effectif attendu à l'instant t + 5 sera obtenu en multipliant l'effectif observé à l'instant t par sa probabilité de survie au cours de la période intercensitaire. En comparant l'effectif attendu en t + 5 à l'effectif réellement observé en t + 5, on obtient une estimation du solde migratoire sur la période intercensitaire. Une autre estimation peut être acquise en divisant l'effectif observé en t + 5 par les probabilités de survie en vue d'obtenir un effectif attendu en t. Ce dernier, comparé à l'effectif réellement observé en t, fournit aussi une estimation du solde migratoire. Les deux méthodes ne coïncident pas nécessairement pour des raisons qu'on ne saurait détailler ici. Avec les données ci-dessus, on note :

Groupes d'âges	Effectifs observés en t+5	Effectifs attendus en t+5	Soldes migratoires
.....	....	....	....
20-25	371 856	379 403	– 7 547
25-30	356 680	367 739	–11 059
30-35	347 246	354 933	– 7 687
.....	....	....	....

Le solde migratoire étant négatif, l'émigration a dépassé l'immigration : il s'agit donc d'une émigration nette dans cet exemple, sans qu'on puisse de nouveau déterminer toutefois le volume des émigrations et des immigrations. On ne connaît en fait que leur solde.

On aura remarqué que la méthode des probabilités de survie ne permet pas toujours d'évaluer le solde migratoire aux tout jeunes âges, c'est-à-dire dans les cohortes nées au cours de la période intercensitaire. Pour procéder à une telle évaluation, il faut que les naissances survenues au cours de la période intercensitaire soient correctement enregistrées, ce qui n'est pas le cas dans la plupart des pays en développement. Par ailleurs, la méthode suppose que les effectifs par classe d'âges soient connus avec une exactitude suffisante, sinon les erreurs de dénombrement se mêlent à l'évaluation du solde et biaisent ce dernier. Enfin, on le rappelle, la table de mortalité doit être connue; toute erreur dans l'estimation des probabilités de survie intercensitaire se répercute évidemment sur l'évaluation des soldes. La méthode doit donc être utilisée avec prudence lorsque les dénombrements sont de qualité variable dans le temps et lorsque la mortalité est mal connue.

L'orientation des migrations

Dans l'étude de la mobilité spatiale, comme on l'a signalé plus haut, il est intéressant de savoir également d'où viennent les migrants et où ils vont en vue d'étudier la redistribution spatiale de la population. Si l'on dispose des *flux migratoires*, c'est-à-dire des migrations définies par leurs lieux d'arrivée et de départ, il est utile de présenter les flux migratoires sous la forme d'un tableau carré dont chaque case reprend l'effectif a_{ij} émigrant — au cours d'un intervalle de temps donné — de la région i vers la région j. Un exemple élémentaire est présenté ici (tab. 9) dans le cas de 3 régions seulement — le principe est le même, que l'on analyse la migration *interne* (à l'intérieur d'un pays) ou *externe* (entre pays). Les sommes dans la marge verticale représentent respectivement le nombre total d'émigrants de chaque région i au cours de la période de calendrier considérée; la marge horizontale reprend l'ensemble des immigrants dans chaque région j au cours de la même période de temps. Le nombre d'émigrants au total est bien sûr égal au total des immigrants dans l'ensemble des régions.

régions d'immigration

de \ vers	1	2	3	Total
1	–	a_{12}	a_{13}	$\sum_j a_{1j}$
2	a_{21}	–	a_{23}	$\sum_j a_{2j}$
3	a_{31}	a_{32}	–	$\sum_j a_{3j}$
Total	$\sum_i a_{i1}$	$\sum_i a_{i2}$	$\sum_i a_{i3}$	

Tableau 9. Emigrations et immigrations.

Comme on vient de le signaler, une bonne analyse de l'orientation des migrations suppose que l'on connaisse les flux migratoires. Sur le plan de la migration interne, les renseignements proviendront par exemple de la *déclaration obligatoire de résidence* dans la région d'immigration qui permet également de dénombrer les immigrants provenant de pays étrangers. Quant aux personnes quittant le pays, on risque par ce système de ne pas toutes les observer, si certaines d'entre elles (et ce sera souvent le cas) ne font pas radier leur inscription dans la région d'émigration. Si l'on ⸳ dispose pas d'un tel enregistrement des flux migratoires ⸳ sur les changements de résidence survenus pendant une ⸳e de calendrier déterminée (une année, par exemple), ⸳ recourir à des *questions rétrospectives* sur les mou-⸳ts migratoires survenus au cours de la période, posées ⸳ d'un recensement ou d'une enquête. On n'obtiendra ⸳ ainsi les mêmes résultats qu'au départ d'un enregis-⸳ement des changements de résidence puisque l'utilisation de questions rétrospectives fournit un nombre de migrants, au lieu d'un enregistrement des migrations, et ne permet évidemment que d'observer la mobilité spatiale des seules personnes survivantes au moment du recensement ou de l'enquête[3].

Ayant déterminé, par l'une ou l'autre méthode d'observation, les flux migratoires entre régions, on peut chercher à mesurer l'attraction globale d'une aire déterminée sur l'ensemble des migrants d'une autre région. Il s'agira en conséquence de mesurer la *préférence migratoire* exercée par une région sur les migrants d'une autre région. On appellera A le nombre total de migrants dans le pays considéré; de plus, K_i et K_j les effectifs de deux régions i et j, et K l'effectif de la population totale du pays. Le nombre attendu de migrants allant de la région i à la région j en l'absence de préférence peut s'écrire

$$A \left(\frac{K_i}{K} \cdot \frac{K_j}{K} \right)$$

---

3. Lorsque la période d'observation est courte, les deux méthodes donneront sensiblement les mêmes résultats.

Le nombre réellement observé étant a_{ij}, un indice de préférence migratoire peut être calculé en faisant le rapport

$$\frac{a_{ij}}{A\left(\dfrac{K_i}{K} \cdot \dfrac{K_j}{K}\right)}$$

Si le rapport est supérieur à l'unité, ceci témoignera de l'existence d'une préférence pour la région j de la part des migrants venant de i; l'inverse est évidemment vrai, si cet indice est inférieur à l'unité.

CHAPITRE VII

Interrelations entre structure et mouvement démographiques

La structure par âge et par sexe : la pyramide des âges

On a déjà fréquemment rencontré, dans les chapitres précédents, la notion de *structure par âge et par sexe* de la population. Cette structure peut être en chiffres *absolus* : il s'agit alors des effectifs par groupes d'âges et par sexe observés à un instant donné; la structure peut également être en chiffres *relatifs*, les effectifs dans chaque groupe d'âges étant divisés par l'effectif total de la population. Nous parlerons par la suite, pour simplifier, de structures absolue et relative.

Une façon de représenter la structure par âge et par sexe (absolue ou relative) est de construire la *pyramide des âges* correspondante : l'effectif de chaque groupe d'âges (absolu ou relatif) est représenté par un rectangle dont la *surface* est proportionnelle à l'effectif. Que l'on considère ainsi les effectifs féminins et masculins suivants dénombrés à un instant déterminé :

Groupes d'âges (en âges exacts)	Effectifs féminins	Effectifs masculins
0- 1	415 000	435 750
1- 5	1 402 000	1 472 100
5-10	1 476 000	1 549 800
.....	....	....

Pour obtenir des rectangles dont les surfaces sont pro-
portionnelles aux effectifs ci-dessus, il suffit de prendre :

— comme hauteur du rectangle : le nombre n d'années
  constituant le groupe d'âges considéré (l'intervalle de
  classe);
— comme largeur du rectangle : l'effectif $_nK_x$ du groupe
  d'âges divisé par l'intervalle de classe n, c'est-à-dire $_nK_x/n$.

La surface du rectangle étant égale au produit de sa hauteur
par sa largeur, on obtient bien :

$$_nK_x = (n) \frac{(_nK_x)}{n}$$

On est maintenant en mesure de construire la pyramide
des âges correspondant à la structure (absolue) donnée à la
page 99. En ordonnée, on note les groupes d'âges x à x + n,
et en abscisse les effectifs divisés par l'intervalle de classe.

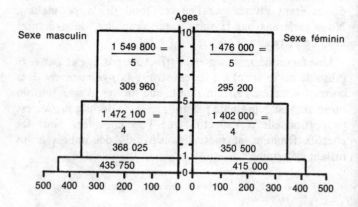

Figure 18. Effectifs par classe annuelle d'âge (en milliers).

Les données relatives au sexe féminin se placent habituelle-
lement à droite de l'axe des ordonnées, et les données relatives au sexe masculin à gauche de l'axe, étant entendu que les
valeurs à gauche et à droite de l'axe sont toutes positives.
Avec les données ci-dessus, on obtient la base de la pyramide
(fig. 18).

A titre d'illustration, on a présenté à la figure 19
une pyramide des âges complète, relative à la population
de Taïwan. Comme les effectifs se réduisent progressivement
au fur et à mesure que l'âge augmente, la figure prend une
forme triangulaire, d'où son nom de « pyramide » des âges.

On pourrait également construire la pyramide correspondant aux effectifs relatifs par âge. Pour ce faire, on divise

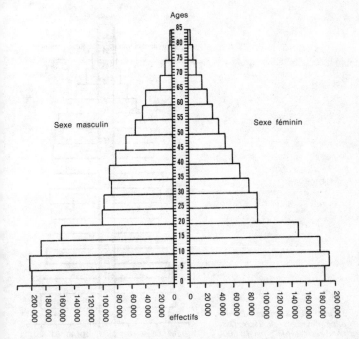

Figure 19. Taïwan. Pyramide des âges en 1968 (en nombres absolus).

les populations masculine ou féminine de chaque groupe d'âges par l'effectif total de la population sur tous les groupes d'âges (population masculine et féminine) en vue de conserver les rapports de masculinité par groupes d'âges, c'est-à-dire les rapports du nombre d'hommes au nombre de femmes par groupes d'âges. Ces effectifs proportionnels (ou relatifs) sont utilisés à la place des effectifs absolus; on procède ensuite de la même façon qu'auparavant.

Les figures 20 et 21 reproduisent deux pyramides des âges : l'une pour la Belgique et l'autre pour l'Inde. Comme les effectifs totaux de ces deux pays diffèrent très fortement, la Belgique ayant près de dix millions d'habitants et l'Inde

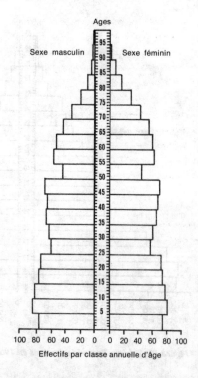

Figure 20. Belgique. Pyramide des âges en 1969 (en nombres relatifs pour 10 000 habitants au total).

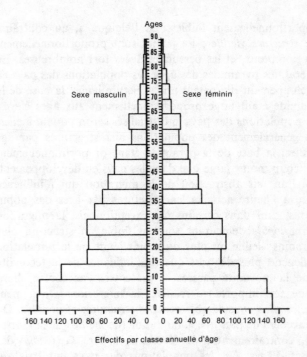

Ages

Sexe masculin   Sexe féminin

160 140 120 100 80 60 40 20 0   0 20 40 60 80 100 120 140 160

Effectifs par classe annuelle d'âge

Figure 21. Inde. Pyramide des âges en 1961 (en nombres relatifs pour 10 000 habitants au total).

plus de cinq cents millions, la comparaison des pyramides d'âges construites à partir des effectifs absolus n'est guère possible. On a donc tracé les pyramides des âges correspondant aux effectifs relatifs dans les deux pays; en d'autres mots, on a rapporté les effectifs à la même population totale. Les deux pyramides peuvent maintenant être comparées facilement, abstraction faite des différences entre les effectifs totaux des deux populations. On remarque que ces deux pyramides sont très différentes : la pyramide de l'Inde a une *structure jeune,* c'est-à-dire des effectifs aux jeunes âges proportionnellement élevés et des effectifs âgés proportionnellement faibles. La Belgique a, au contraire, une *structure vieillie* : les jeunes sont proportionnellement peu nombreux, et les personnes âgées fort nombreuses. En général, les pyramides des âges des populations des pays en développement présentent une structure jeune, la base de la pyramide étant large proportionnellement aux âges élevés. Les populations des pays industrialisés seront, quant à elles, très généralement des populations aux structures par âge vieillies, la base de la pyramide étant proportionnellement beaucoup moins large que dans les pays en développement.

Si l'on fait abstraction de la migration qui n'influence guère à l'heure actuelle les structures par âges des populations, sauf dans certains cas exceptionnels, la migration *internationale* demeurant souvent faible, la structure plus ou moins vieillie ou plus ou moins jeune de la population ne dépend plus dès lors que de l'influence de la fécondité et de la mortalité passées et présentes. Par contre, étant donné son importance relative, la migration *interne* peut affecter plus considérablement les structures régionales. On remarquera de plus que la migration (de même que la mortalité), contrairement à la fécondité, affecte *l'ensemble* des classes d'âges. Or, les populations des pays industrialisés ont connu à la fois une baisse très importante de leur mortalité (une hausse de leur vie moyenne) et de leur fécondité (réduction de la descendance moyenne par femme). Il est donc important de savoir si le vieillissement de ces populations est dû à la baisse de la mortalité (à l'allongement de la vie moyenne) ou à celle de la fécondité. C'est le problème qui va nous occuper ici.

Structure par âge et sexe, natalité et mortalité

Il y a diverses façons d'envisager l'action de la fécondité et de la mortalité sur la pyramide des âges. Nous utiliserons ici l'approche basée sur le *modèle de population stable*, c'est-à-dire la population limite vers laquelle tend une population sans migrations conservant indéfiniment des taux par âge de fécondité générale et de mortalité invariables. On peut, pratiquement, considérer que l'on projette une population sur un certain nombre d'années (200 ou 300 par exemple), en maintenant la fécondité et la mortalité constante. La population projetée au bout de 200 ou 300 ans possède une structure relative stable, c'est-à-dire une pyramide des âges qui demeure invariable et qui ne dépend plus de la structure relative de la population initiale mais seulement des lois de fécondité et de mortalité choisies (la démonstration de cette propriété est trop complexe pour être exposée ici). On peut ainsi examiner facilement l'influence différentielle de la fécondité et de la mortalité sur la pyramide des âges puisque celle-ci, à la limite (dans l'état stable), ne dépendra plus que de la fécondité et de la mortalité.

Au tableau 10, on a repris les effectifs (en « pour mille ») des populations stables obtenues en maintenant la fécondité constante[1] et en réduisant la mortalité (accroissement de la vie moyenne). Seuls sont retenus les groupes « jeunes » (0 à 14 ans révolus), « adultes » (15 à 64 ans révolus) et « vieux » (65 ans et plus).

On constate que l'allongement de la vie moyenne (la fécondité demeurant constante) aboutit essentiellement à rajeunir la population, c'est-à-dire à accroître la proportion de jeunes, plutôt qu'à la vieillir, bien que l'on observe parallèlement une

---

1. « Taux » brut de reproduction égal à 1,5 et âge moyen à la maternité de 29 ans.

e_{0j}	Groupe 0-14	Groupe 15-64	Groupe 65+	Total
20	197	718	85	1 000
30	229	684	87	1 000
40	250	661	89	1 000
50	266	643	91	1 000
60	279	630	91	1 000
70	286	619	95	1 000

Tableau 10. Structures stables à fécondité constante et à mortalité en baisse. (Source : A. J. Coale et P. Demeny, Regional model life; tables and stable populations. Princeton N.J., Princeton University Press, 1966, Modèle Ouest.)

augmentation légère de la proportion de « vieux ». Il y a donc rajeunissement par le bas de la pyramide et vieillissement par le haut, les deux effets demeurant toutefois modérés.

Le tableau 11 présente lui les résultats d'un processus inverse; on maintient la mortalité constante[2] et l'on fait varier la descendance moyenne par femme (ici, le « taux » brut de reproduction). Les groupes d'âges considérés sont les mêmes qu'au tableau 10.

Si la baisse de la mortalité n'a qu'une influence relativement légère sur la structure par âge, on ne peut en dire autant d'une réduction de la fécondité. La pyramide des âges est profondément modifiée par la *baisse de la fécondité* : la proportion des « jeunes » décroît très fortement, réduction compensée par une croissance des « adultes » et surtout des « vieux ». Le recours aux modèles de populations stables montre donc clairement que le vieillissement des populations des pays industrialisés est dû essentiellement à la réduction sensible de la fécondité que ces populations ont connue. En effet, la baisse prolongée de la fécondité

2. e_0 vaut 50 ans; l'âge moyen à la maternité est également maintenu constant et fixé à 29 ans.

« Taux » brut de reproduction	Groupe 0-14	Groupe 15-64	Groupe 65 +	Total
4,00	509	474	17	1 000
3,00	438	532	30	1 000
2,00	336	605	59	1 000
1,50	266	643	91	1 000
1,00	178	669	153	1 000
0,80	138	667	195	1 000

Tableau 11. Structures stables à mortalité constante et à fécondité en baisse. (Source : A.J. Coale et P. Demeny, Regional model life tables and stable populations. *Princeton N.J., Princeton University Press, 1966, Modèle Ouest.)*

réduit la base de la pyramide des âges. L'action du déclin de la mortalité se traduit, au contraire, sur l'ensemble des groupes d'âges. Toutefois, comme le déclin de la mortalité bénéficie surtout aux jeunes, cette réduction tend à rajeunir légèrement la structure.

Il est important de noter que toute population où la fécondité demeure faible aura *nécessairement* à la longue une structure vieillie. De même, toute population où la fécondité demeure élevée a nécessairement une structure par âge jeune. Dès lors, on ne peut avoir à la longue une population à fécondité basse et à structure jeune; à long terme, la faible fécondité aboutit nécessairementà vieillir la structure. Tous les pays actuellement à forte croissance démographique tendront donc vers une structure vieillie, dans la mesure où ils parviendront à réduire progressivement leur fécondité.

L'influence de la structure
sur le mouvement

On considérera deux populations à structures par âge très différentes, l'une étant vieillie et l'autre jeune. Les taux de mortalité et de fécondité par âge dans les deux populations sont les mêmes. Quel sera l'effet des structures sur les « taux » bruts de natalité, de mortalité et d'accroissement naturel? Pour répondre à cette question, il y a lieu de se reporter au tableau 12 qui présente les structures *relatives* de deux populations féminines A (jeune) et B (vieillie) et les distributions de taux de fécondité et de mortalité s'appliquant, par hypothèse, aux deux populations. La population A présente un « taux » brut de natalité[3] de 15,77 ‰ et la population B un « taux » de 14,22 ‰; les « taux » bruts de mortalité sont respectivement de 3,18 ‰ (A) et 13,79 ‰ (B). Les « taux » d'accroissement naturel seront donc de

$$15,77\ \text{‰} - 3,18\ \text{‰} = 12,59\ \text{‰} \ (\text{pour A})$$
$$14,22\ \text{‰} - 13,79\ \text{‰} = \ 0,43\ \text{‰} \ (\text{pour B})$$

Le calcul montre donc que deux populations qui ont les mêmes taux par âge de fécondité et de mortalité peuvent néanmoins connaître une croissance démographique très différente (du moins, pendant un certain laps de temps) sous la seule influence des différences de structures par âge. Dans l'exemple ci-dessus, la population jeune (A) connaîtra beaucoup moins de décès que la population vieillie (B). Comme le nombre de naissances est ici sensiblement le même dans les deux populations (la proportion de femmes en âge de procréation ne diffère pas tellement, que la population soit jeune ou vieillie), la population A croîtra nettement plus vite que la population B. Dans toute étude du

---

3. On a multiplié les « taux » de fécondité générale par 0.488 pour ne retenir que les naissances *féminines* par femmes.

Groupes d'âges	Structure A (en %)	Structure B (en %)	« Taux » de fécondité générale (en ‰)	Taux de mortalité (en ‰)
0- 5	21,18	6,71		6,48
5-10	15,91	6,67		0,63
10-15	13,14	6,65		0,56
15-20	10,84	6,62	22,4	0,91
20-25	8,84	6,59	136,1	1,32
25-30	7,14	6,54	149,5	1,52
30-35	5,72	6,49	87,2	1,66
35-40	4,54	6,43	39,2	1,94
40-45	3,58	6,35	10,7	2,83
45-50	2,80	6,25	0,8	3,63
50-55	2,15	6,11		5,59
55-60	1,60	5,91		7,68
60-65	1,12	5,62		12,48
65-70	0,72	5,17		21,16
70-75	0,41	4,49		36,31
75-80	0,19	3,54		62,00
80-85	0,08	3,84		155,45

Tableau 12. Structure et mouvement démographiques.

mouvement de la population, il est donc essentiel de tenir compte de l'influence des structures parallèlement à celle de la fécondité, de la mortalité, et éventuellement de la mobilité spatiale.

Cette constatation est d'importance car même, si un pays réduit très fortement sa fécondité, sa population peut néanmoins continuer à croître pendant un certain temps par le fait de la structure par âge. Ceci a été clairement montré notamment par J. Bourgeois-Pichat et Si-Ahmed Taleb[4] dans un calcul de projection démographique pour le Mexique où, même en supposant une réduction assez forte de la fécondité, l'effectif total de la population est tout de même multiplié par 4 entre 1960 (départ de la projection) et 2050.

4. Un taux d'accroissement nul pour les pays en voie de développement en l'an 2000. Rêve ou réalité?, *Population*, 25, 1970, 5, 957-974.

Il est capital de retenir que le mouvement démographique est, à court terme, assez peu sensible aux variations de la fécondité, à la suite de l'influence simultanée des structures.

Les perspectives démographiques

Ce que l'on vient de signaler, à propos de l'influence simultanée des structures et des processus démographiques sur le mouvement de la population, revêt évidemment une grande importance dans le calcul des perspectives de population. Il faudra, en effet, non seulement tenir compte des tendances à long terme (en intensité et en calendrier) de la fécondité, de la mortalité et de la mobilité spatiale, mais également de la modification des structures (par âge et sexe notamment) et de leur influence sur le mouvement. Les méthodes de perspectives démographiques sont assez complexes et ne peuvent être détaillées dans le cadre de cette étude. Elles ne sont pas toujours, non plus, très satisfaisantes, et si l'on peut prévoir les grandes tendances de la mortalité sans trop de risques d'erreur, il n'en va pas de même des perspectives de fécondité et de mobilité spatiale. Pour notre part, nous nous limiterons ici à quelques remarques d'ensemble sur les perspectives démographiques.

On peut d'abord extrapoler les *effectifs totaux* de la population considérée. Si celle-ci a été recensée deux fois, aux instants t et t + n, il est aisé de déterminer le « taux » d'accroissement annuel par la relation approximative :

$$r = \left[\frac{K\,(t + n) - K\,(t)}{n} \right] : \left[\frac{K\,(t + n) + K\,(t)}{2} \right]$$

où

K (t + n) et K (t) représentent les effectifs recensés en

t + n et en t;
n est le nombre d'années constituant la période intercensitaire.

Ce « taux » r tient compte à la fois du mouvement naturel et migratoire, et l'effectif de la population peut être projeté en supposant r constant ou en se donnant une loi de variation de r basée, par exemple, sur son évolution passée.

Une méthode pareille est évidemment extrêmement sommaire puisqu'elle ne tient pas compte de l'évolution des composants du mouvement, fécondité, mortalité et mobilité spatiale, ni de l'influence des structures absolues.

On pourrait améliorer légèrement la projection en utilisant, au lieu du « taux » d'accroissement intercensitaire, les « taux » bruts de natalité, de mortalité et éventuellement d'émigration et d'immigration obtenus en combinant les renseignements provenant de l'état civil et du recensement. Cette méthode ne constitue toutefois qu'une amélioration très légère puisqu'on n'envisage toujours pas l'effet simultané des propensions et des structures.

Une perspective de population devrait, au moins, être basée sur les taux de fécondité générale et de mortalité selon l'âge ainsi que, si possible, sur des indices d'émigration et d'immigration selon l'âge. Ayant déterminé — à partir de l'évolution passée et éventuellement de questions prospectives portant par exemple sur les projets et les attentes des individus — les tendances futures de la fécondité, de la mortalité et de la mobilité spatiale selon l'âge, il est aisé de tenir compte des structures. Les nombres de naissances, de décès et de migrations sont obtenus en multipliant la structure absolue de la population au début de la perspective par les taux d'éventualité selon l'âge. En ajoutant les naissances et les immigrations et en retranchant les décès et les émigrations, on découvre la structure absolue de la population au bout de la première étape de la projection. On part ensuite de cette population projetée pour la seconde étape de la projection, et l'on recommence les opérations signalées ci-dessus. La projection s'effectue ainsi étape par étape : au cours de chacune d'elles, on obtient le nombre prévu de naissances, de décès et de migrations à partir des taux d'éventualité et de la structure absolue au début de l'étape considérée.

La prévision des indices de fécondité, de mortalité et de mobilité spatiale selon l'âge, au cours de chaque étape de la projection, n'est évidemment pas une chose aisée. On peut soit projeter les indices du moment, ou encore projeter les indices par cohortes et les convertir ensuite en données du moment. Il s'agira donc non seulement de prévoir l'évolution de l'intensité des phénomènes mais également celle de leur calendrier. De plus, la projection de la fécondité générale dépend des tendances de la nuptialité et de la fécondité légitime et illégitime. La perspective démographique devient vite très complexe lorsqu'on souhaite retenir ces divers composants séparément.

Très souvent on distingue les *prévisions* démographiques des *projections* démographiques, les premières cherchant à prévoir l'évolution réelle de la population, les secondes se limitant à calculer des caractéristiques démographiques sur la base de certaines hypothèses; la population stable, introduite précédemment, constitue un exemple d'une projection démographique. Le futur étant de par nature inconnu, les prévisions démographiques échouent fréquemment mais elles ont malgré tout l'avantage de signaler certains faits (telle une tendance au vieillissement démographique) qui autrement passeraient inaperçus. Il est utile, de toute manière, d'effectuer une prévision sur la base de plusieurs hypothèses vraisemblables en vue d'inclure une certaine variance autour de la tendance la plus probable. Le plus souvent, les prévisions démographiques n'ont été, en fait, que des projections sur la base d'hypothèses plus ou moins plausibles. Il est impossible, à l'heure actuelle, de prévoir correctement, c'est-à-dire avec une marge d'erreur réduite, l'évolution d'une population. Ceci n'est évidemment pas une raison de renoncer aux prévisions démographiques car, sur de courtes périodes de temps, elles peuvent se révéler fort utiles. Par contre, il est bon de savoir que toute prévision à long terme ne constitue en fait qu'une projection. Le démographe est probablement mieux formé qu'un autre pour établir cette projection, mais l'avenir lui demeure également inconnu.

CHAPITRE VIII

Évolution
de la population mondiale

Évolution de la croissance démographique

L'absence de données empêche bien sûr de retracer, même grossièrement, l'évolution démographique de l'humanité. Seules quelques estimations permettent de disposer d'ordres de grandeurs pas trop éloignés peut-être de la réalité. A partir de celles-ci, le peuplement humain paraît avoir été d'une lenteur considérable durant plusieurs millénaires pour connaître, aux environs de la moitié de notre ère, une nette accélération qui est allée en s'amplifiant fortement surtout depuis la moitié de ce siècle.

Selon les estimations, le premier milliard aurait été atteint après des milliers d'années, en 1810; le second milliard après quelque cent quinze ans, en 1925, et il n'a fallu que trente-cinq années pour atteindre le troisième milliard, en 1960. Enfin, d'après les perspectives de population des Nations unies, vingt ans suffiront pour atteindre le quatrième milliard, en 1980, treize années pour le cinquième, en 1993, alors que le sixième milliard pourrait être atteint après sept ou huit ans. S'il frappe l'imagination, ce genre de calcul n'est guère approprié lorsqu'il s'agit de décrire l'accroissement démographique. De fait, le temps requis à une population pour s'accroître d'un nouveau milliard dépend d'abord étroitement de son effectif de départ, et se réduit donc nécessairement à mesure que cet effectif augmente. Aussi la variation de la croissance d'une popu-

lation est-elle plus justement appréhendée par son accroissement annuel moyen ou par le temps nécessaire pour que
son effectif de départ se trouve doublé.

Ces deux mesures calculées pour la population mondiale
à partir des effectifs estimés à diverses périodes mettent
clairement en évidence l'accélération de la croissance démographique (voir le tableau 13). Si on se limite à la période
pour laquelle les estimations paraisssent plus certaines, on
constate que l'accroissement annuel moyen, proche de 0,5 %

Années	Effectifs en millions	Accroissement annuel moyen en %	Temps de doublement en années
7000-6000 A.C.	5 à 10		
		0,05 à 0,07	1 400 à 1 060
0	250 à 350		
		0,02 à 0,04	3 198 à 1 650
1650	500		
		0,41	169
1750	750		
		0,49	141
1800	960		
		0,51	136
1850	1 240		
		0,57	122
1900	1 650		
		0,74	93
1930	2 070		
		0,91	76
1950	2 486		
		1,82	38
1960	2 982		
		1,99	35
1970	3 632		

*Tableau 13. Estimations de l'effectif et de la croissance de la population
humaine à différentes époques. (Sources : jusqu'à 1650, G. Ohlin, Historical
Outline of World Population Growth, backgroun paper. General 20/E/486,
prepared for the 1965 World Population Conference, 1750 à 1930, J. Durand,
Estimations de la population mondiale de 1750 à 2000. Nations unies,
Congrès Mondial de la Population 1965, II, New York, 1967, p. 18; 1950 à
1970, Annuaire démographique 1970. Nations unies, New York, 1971, p. 105.)*

jusqu'au début du XIXe siècle, augmente d'abord progressivement puis brusquement après la seconde guerre mondiale. Alors que le temps de doublement correspondant à l'accroissement annuel moyen est largement supérieur à cent années avant le XXe siècle, il est inférieur à cinquante ans depuis la moitié de ce siècle et est proche de trente années actuellement.

Cette évolution de la croissance démographique est loin d'être homogène sur toute la surface de la terre. Elle diffère notamment de façon très nette selon la dichotomie schématique des populations en fonction de leur développement actuel des points de vue économique et social (voir le tableau 14). Dès le XIXe siècle en effet, les pays développés connaissent une accélération considérable de leur accroissement démographique qui se réduira fortement au cours de la première moitié du XXe siècle. Les pays sous-développés, par contre, n'enregistrent une augmentation sensible de l'accroissement démographique qu'au cours des années qui

Périodes	Pays développés	Pays sous-développés
1650-1750	0,33	0,34
1750-1800	0,62	0,47
1800-1850	0,83	0,31
1850-1900	1,05	0,53
1900-1920	0,92	0,52
1920-1930	0,91	1,11
1930-1940	0,85	1,28
1940-1950	0,35	1,44
1950-1960	1,26	2,07
1960-1970	1,09	2,31

Tableau 14. Accroissement annuel moyen (en pour cent) des pays développés (Amérique du Nord, Europe, URSS et Océanie) et des pays sous-développés (Afrique, Amérique latine et Asie). (Sources : 1650 à 1960, D.J. Bogue, Principles of Demography. New York, John Wiley and Sons Inc., 1969, tabl. 3.3, p. 49; 1960 à 1970, accroissement obtenu à partir des données de l'Annuaire démographique 1970. Nations unies, New York, 1971, p. 105.)

suivirent la première guerre mondiale. Cet accroissement toutefois ira en s'accélérant de plus en plus, surtout depuis la moitié de ce siècle.

Actuellement, sur un effectif total supérieur à trois milliards et demi d'hommes, moins de 30 % de cette population connaît annuellement un accroissement voisin de 1 %, alors que pour plus de 70 % de l'humanité, cet accroissement est supérieur à 2 % et dépasse même 3 % dans beaucoup de pays (voir le tableau-annexe G). De tels « taux » d'accroissement n'avaient jamais été enregistrés au cours de l'histoire, si ce n'est en Amérique du Nord lors des grandes vagues d'immigration à la fin du XIXᵉ siècle. Actuellement cependant, la croissance démographique des pays sous-développés est presque exclusivement due à la croissance naturelle, c'est-à-dire au solde des naissances et des décès. Le « taux » brut de natalité, en effet, se maintient à un niveau très élevé, largement supérieur à 30 ‰, alors que le « taux » brut de mortalité a déjà atteint un niveau relativement faible. Abstraction faite de l'Afrique noire où la mortalité reste élevée, la plupart des pays sous-développés, grâce également à leur structure par âge très jeune, enregistrent des « taux » bruts de mortalité voisins des « taux » des pays développés et souvent même inférieurs à ces derniers.

Dès lors deux questions importantes se posent. Quels sont les mécanismes de ces brusques accélérations de l'accroissement démographique au XIXᵉ siècle pour les pays développés, et au XXᵉ siècle pour le reste de l'humanité ? Pour quelles raisons aussi les pays actuellement développés n'ont-ils pas connu dans le passé des « taux » d'accroissement naturel aussi élevés que ceux que l'on enregistre aujourd'hui dans le Tiers monde ?

Pour répondre adéquatement à ces deux questions, il serait nécessaire de procéder à une analyse assez fouillée de l'évolution démographique de ces deux parties du monde. Une telle analyse dépasse toutefois le cadre de ce chapitre, elle constituerait à elle seule la matière d'un ouvrage. Nous nous limiterons donc ici à relever les principaux éléments de réponse.

Accélérations
de l'accroissement démographique

Dans le passé, la mortalité était élevée et malgré une forte natalité, ne permettait qu'une croissance faible de la population. Les « taux » bruts de mortalité variaient entre 35 et 45 ‰, l'espérance de vie à la naissance devant se situer entre 25 et 30 ans.

Au cours du XIXᵉ siècle, la situation se modifia en *Europe et dans les pays à population d'origine européenne*. La mortalité se réduisit progressivement, étant donné les progrès réalisés dans l'agriculture et l'amélioration des conditions générales de vie, étant donné aussi les découvertes médicales en ce qui concerne l'hygiène, les procédures d'asepsie et plus tard de vaccination. Cette réduction de la mortalité entraîna dès lors une augmentation de l'accroissement démographique, qui, toutefois, fut assez rapidement freinée par un déclin parallèle de la natalité remarquable dans la plupart des cas, après le début de la chute de la mortalité.

La France semble avoir été le premier pays où se manifesta ce déclin continu de la natalité, qui débuta vers la fin du XVIIIᵉ siècle. Selon les estimations de J. Bourgeois-Pichat[1], le « taux » brut de natalité passe de 38,6 ‰ en 1771-1775 à 32 ‰ en 1801-1805, ce qui représente un déclin de 17 % en un peu plus d'une génération. Cette tendance se poursuit au cours du XIXᵉ siècle et, en 1871-1875, le « taux » brut de natalité atteint 25,0 ‰ (soit un déclin de 35 % par rapport à 1771-1775). A cette même époque (vers 1875),

---

1. Bourgeois-Pichat J., Note sur l'évolution générale de la population française depuis le XVIIIᵉ siècle, *Population*, 7, 1952, 2, p. 329.

les « taux » bruts de natalité de la plupart des pays européens dépassent encore dans une large mesure les 30 ‰. Cependant le déclin de la natalité commence à se manifester dans certains d'entre eux et notamment en Grande-Bretagne qui fut, sans doute après la Suède, le premier pays à suivre l'exemple français avec environ un siècle de retard. Le mouvement gagne ensuite l'Allemagne et les autres pays du Nord-Ouest européen et se diffuse en Amérique du Nord et dans certains pays à population d'origine européenne tels que l'Argentine et l'Australie par exemple. Avec la grande crise économique des années trente, la natalité de ces pays atteint son niveau le plus bas et connaît ensuite une certaine hausse, surtout après la seconde guerre mondiale, qui plafonnera cependant en deçà des 30 ‰.

Ce déclin de la natalité, en France d'abord, puis dans les autres pays actuellement développés, paraît manifestement dû à une réduction volontaire des naissances au sein des couples. L'apparition de ce phénomène reste difficilement explicable malgré le grand nombre d'études à son propos. Dans de nombreux pays, ce phénomène semble être lié à l'industrialisation et à l'urbanisation, il apparut néanmoins en France dans des régions rurales autant que dans des régions urbaines et bien avant le mouvement d'industrialisation. De même il se manifesta très tôt dans certaines régions rurales de Hongrie. Sans nul doute, il fut lié à des modifications socio-culturelles qui amenèrent les couples à réduire leur fécondité par le recours à la contraception ou à l'avortement. Ces modifications ne furent pas nécessairement identiques dans tous les pays. Elles paraissent cependant avoir suscité un mouvement spontané que ne purent enrayer les tendances natalistes caractérisant les Etats et les Eglises à cette époque.

Ce mouvement continua à se propager dans tous les pays industrialisés. En Europe du sud et du sud-ouest, la baisse de la natalité débuta plus tardivement mais se poursuivit jusque vers les années cinquante et même plus tard pour certains d'entre eux comme la Pologne, la Hongrie, la Roumanie et la Tchécoslovaquie. Au Japon[2], la natalité avait connu un certain déclin avant la guerre du Pacifique. A la sortie de la seconde guerre mondiale cependant, la natalité avait retrouvé un niveau assez élevé, dû partiellement à la récupération des naissances. En 1949, le « taux » brut de natalité était encore de 33 ‰, il tomba ensuite de façon spectaculaire : 25 ‰ en 1951 et 17 ‰ en 1957. Cette réduction fut causée principalement par la limitation des naissances pratiquée volontairement par les couples. Ce mouvement de limitation des naissances paraît à nouveau avoir été un phénomène spontané même si, dans sa réalisation, il a été aidé par les facilités offertes par le gouvernement principalement en matière d'avortement.

Depuis la moitié du xxᵉ siècle, le « taux » d'accroissement des pays développés dans leur ensemble s'est stabilisé aux environs de 1 %, même si un certain nombre d'entre eux, particulièrement en Europe, connaissent un accroissement nettement inférieur à ce niveau (voir le tableau-annexe G). Le « taux » d'accroissement des *pays sous-développés*, par contre, n'a cessé de croître tout au long de ce siècle et spécialement depuis la fin de la seconde guerre mondiale. L'accélération de cet accroissement est également la conséquence du mouvement naturel de la population, mais, cette fois, elle atteint un niveau que l'on n'avait jamais enregistré auparavant.

Il semblerait toutefois que les pays sous-développés s'acheminent, ou le feront, vers une situation démographique semblable à celle des pays développés, caractérisée par une mortalité et une natalité faibles. Cela paraît à la fois nécessaire et inéluctable. D'une part en effet, la maximation du déclin de la mortalité répond à des attentes universelles. D'autre part, il paraît impensable de maintenir

2. Taeuber I. B., The Population in Japan, in Freedman R., (ed.), *Population : the Vital Revolution*, New York, Anchor Books, Doubleday and Co., Inc., 1964, 215-226.

des « taux » d'accroissement aussi élevés. Or, si l'on veut éviter une recrudescence de la mortalité, la réduction de l'accroissement ne peut être obtenue que par le déclin de la natalité. Si donc le point de départ est semblable pour toutes les populations : mortalité et natalité élevées, le chemin pour aboutir à la même situation finale apparaît très différent. Cette différence de « transition démographique » — c'est ainsi que généralement on appelle ce phénomène — explique pourquoi les pays développés n'ont pas connu de croissance de population aussi spectaculaire que celle du Tiers monde.

La transition démographique : schéma d'évolution

La transition démographique est un schéma d'évolution qui veut rendre compte du passage d'une situation d'accroissement démographique faible où se combinent une natalité et une mortalité élevées, à une situation où les niveaux relativement faibles de ces composants du mouvement naturel n'entraînent qu'un accroissement réduit de population. Cette diminution de la mortalité et de la natalité ne se fait pas de façon harmonieuse dans le temps. La mortalité est généralement la première à se réduire et le décalage dans le temps, entre son déclin et celui de la natalité provoque durant une certaine période une croissance de population d'autant plus forte que la différence entre les niveaux de mortalité et de natalité est plus grande. Peu à peu cependant le déclin de la natalité s'accentue et la croissance excessive de la population tend à se résorber.

La transition démographique qui a fait l'objet de nombreuses études basées d'abord principalement sur l'expérience des pays développés, a été considérée comme un

« cycle démographique » étroitement dépendant de l'industrialisation et de l'urbanisation, et de façon générale, du développement d'un pays. Les différentes tentatives pour élaborer une théorie à ce propos se sont cependant heurtées aux divergences importantes qui se manifestent dans l'évolution démographique des pays sous-développés et également d'ailleurs dans l'évolution particulière de certains pays européens. Sans être une théorie, la transition démographique reste cependant un schéma très utile pour analyser le mouvement des populations depuis le XIXᵉ siècle. Les constantes qu'elle met en évidence et les divergences qu'elle doit concéder permettent en outre d'apporter des éléments d'explication au problème de l'accroissement différentiel actuel et passé des pays développés et sous-développés.

La transition démographique se caractérise généralement par un déclin plus rapide de la mortalité par rapport à celui de la natalité, ce qui entraîne nécessairement une accélération sensible de l'accroissement naturel de la population. En outre, cette évolution exige une durée de temps assez longue même si, comme nous le verrons, cette durée paraît devoir être plus brève pour les pays sous-développés qu'elle ne le fut pour les pays développés. La transition démographique paraît également dépendre de certaines transformations de la structure socio-culturelle et notamment d'un certain développement socio-économique. Enfin, même sans aboutir à une phase de déclin démographique comme le prévoyaient certains, cette évolution semble irréversible sans toutefois être nécessairement définitive.

A côté de ces constantes, de nombreuses divergences apparaissent quand on compare la transition démographique des différents pays. En plus des variations de l'accroissement démographique durant les phases intermédiaires, les principales divergences concernent les conditions de départ de cette évolution, sa durée, sa spontanéité et sa dépendance par rapport aux variables sociales, culturelles et économiques. La mise en évidence de ces divergences se fera à travers la comparaison de la transition démographique européenne au XIXe siècle, qui fut la première évolution de ce genre, et de l'expérience à laquelle les pays sous-développés se trouvent actuellement confrontés ou le seront bientôt.

Divergences dans la transition démographique

L'étude comparée de la transition démographique fait d'abord apparaître des divergences importantes dans les *conditions au sein desquelles s'est amorcée* cette évolution. Avant son déclin continu, la mortalité européenne n'était pas seulement élevée mais connaissait de très larges fluctuations conjoncturelles causées par les famines, les épidémies et les recrudescences des maladies endémiques. En Suède (fig. 22) par exemple, dont les données sont relativement complètes depuis le XVIIIe siècle, le « taux » brut de mortalité est inférieur à 25 ‰ vers 1735, dépasse 30 ‰ pour atteindre même un peu moins de 45 ‰ autour des années 1740, et se réduit ensuite aux environs de 25 ‰ avant 1750; de même entre 1770 et 1780, il connaît des variations allant de moins de 25 ‰ à près de 45 ‰. Ces variations conjoncturelles vont cependant en se réduisant à mesure que la mortalité baisse et que commence la transition démographique.

Sans doute autrefois, les pays sous-développés ont connu également de semblables variations conjoncturelles de la mortalité. Celles-ci se sont néanmoins fortement réduites depuis la seconde guerre mondiale, même pour les pays qui actuellement n'ont pas encore réellement commencé leur transition démographique. Cette situation a pu être réalisée grâce au développement sans précédent des relations et des échanges internationaux. A cela s'ajoute le fait qu'une

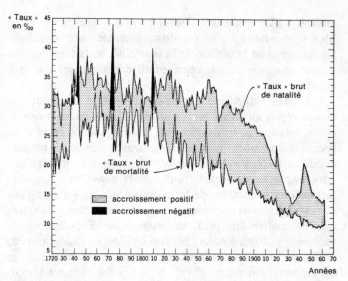

Figure 22. « Taux » bruts de mortalité et de natalité de 1720 à 1962 en Suède (graphique repris de l'ouvrage de D. J. Bogue, Principles of Demography. *New York, John Wiley and Sons Inc., 1969, p. 59).*

partie de l'humanité avait pu réaliser des progrès scientifiques et technologiques capables d'enrayer les famines ou les épidémies dès leur apparition et d'empêcher ainsi leur dissémination à travers une population plus importante.

Ceci, en effet, constitue une autre différence fondamentale des conditions de départ de la transition démographique. Au XIXe siècle, les populations européennes ne dépendaient que d'elles-mêmes et ne pouvaient bénéficier d'apports extérieurs: Le déclin de la mortalité se trouvait donc lié aux progrès médicaux, technologiques, économiques et sociaux que leur société était capable de réaliser. Une mauvaise récolte agricole dans un pays entraînait nécessairement des problèmes de ravitaillement que les échanges internationaux, encore peu développés et de toute façon techniquement malaisés, ne pouvaient résoudre, si ce n'est peut-être que de façon très partielle. Par ailleurs l'humanité entière était impuissante devant certaines épidémies. Et de plus la mentalité était sans doute orientée vers un mieux-être et vers une réduction de la mortalité, mais sans pouvoir encore imaginer ce que représentait concrètement une telle situation.

Les pays actuellement sous-développés se trouvent par contre repris au sein d'un réseau d'échanges internationaux, et en relation avec des sociétés bénéficiant de conditions socio-économiques infiniment meilleures que leurs propres conditions. Cette nouvelle situation leur permet de faire face avec une grande efficacité aux causes possibles d'augmentations conjoncturelles de la mortalité. Il s'agit moins pour eux de réaliser des découvertes scientifiques et technologiques que de mettre sur pied un programme d'application de techniques existantes et de réaliser les modifications de structure socio-culturelle nécessaires pour la réussite de ce programme. En outre, et ceci n'est pas de moindre importance, la réduction de la mortalité représente un but à atteindre qui est rendu concret par la situation de faible mortalité des pays développés. L'expérience de ceux-ci et déjà de certains pays sous-développés, fait apparaître cette réduction comme très possible, ce qui n'était pas le cas des pays européens au XIXe siècle.

Ces conditions de départ différentes entraînent une différenciation importante de la *dépendance* entre le déclin de la mortalité et les *variables socio-économiques*. La baisse de la mortalité européenne au XIXe siècle fut étroitement liée au développement socio-économique. Celui-ci dépendait des progrès scientifiques et technologiques mais, en retour, influençait fortement ces derniers. Cette interdépendance relativement harmonieuse entraîna progressivement le déclin de la mortalité qui fut suivi assez rapidement par celui de la natalité (voir la figure 22). Les conditions favorables à la baisse de la fécondité furent en réalité suscitées par cette lente évolution affectant tous les éléments de la société, aussi bien les domaines scientifique, technologique et économique que la structure sociale, les idéologies et les mentalités. La relative lenteur de l'évolution permettait en effet aux populations d'adapter insensiblement leurs mentalité et comportements aux changements. Sans doute le coût social fut-il considérable : il pouvait cependant paraître moindre du fait de son étalement dans le temps, de l'apparence spontanée et irréversible de cette évolution, du fait aussi qu'il n'existait pas encore de populations ayant déjà parcouru une telle évolution et bénéficiant de conditions de vie infiniment meilleures.

En ce qui concerne les pays sous-développés, l'absence d'un développement économique intégré n'a pas constitué un obstacle à la baisse de la mortalité et ce, principalement depuis la fin de la seconde guerre mondiale. Sans doute, le déclin de la mortalité au-delà d'un certain seuil (celui-ci se situerait actuellement autour de 60 ans d'espérance de vie à la naissance) semble toujours dépendre du développement économique et social. Cependant, il reste vrai que certains pays sous-développés ont connu un déclin de la mortalité déjà considérable sans grands changements de leur situation économique, l'amélioration de celle-ci accentuant bien sûr fortement le déclin amorcé indépendamment d'elle.

Cette constatation peut être appuyée, par exemple, par la mise en relation de l'espérance de vie à la naissance et du revenu moyen par habitant pour un certain nombre de pays sous-développés (fig. 23). Les données concernant la mortalité, et surtout le revenu national, sont évidemment critiquables. On peut également s'interroger sur la valeur du revenu moyen par habitant comme critère de développement économique. Cette mise en relation néanmoins, abordée avec prudence, permet de souligner la relative indépendance entre le niveau de la mortalité et le développement économique. C'est ainsi que parmi les pays dont le revenu par tête est inférieur à 150 $, on enregistre des espérances de vie variant entre moins de 40 ans (Tchad, Laos, Guinée...) et plus de 60 ans (Taïwan, Ceylan).

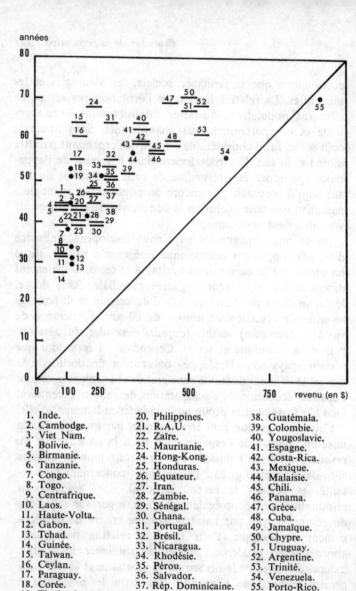

années

80

70

60

50

40

30

20

10

0

0   100   250   500   750   revenu (en $)

1. Inde.
2. Cambodge.
3. Viet Nam.
4. Bolivie.
5. Birmanie.
6. Tanzanie.
7. Congo.
8. Togo.
9. Centrafrique.
10. Laos.
11. Haute-Volta.
12. Gabon.
13. Tchad.
14. Guinée.
15. Taïwan.
16. Ceylan.
17. Paraguay.
18. Corée.
19. Thaïlande.

20. Philippines.
21. R.A.U.
22. Zaïre.
23. Mauritanie.
24. Hong-Kong.
25. Honduras.
26. Équateur.
27. Iran.
28. Zambie.
29. Sénégal.
30. Ghana.
31. Portugal.
32. Brésil.
33. Nicaragua.
34. Rhodésie.
35. Pérou.
36. Salvador.
37. Rép. Dominicaine.

38. Guatémala.
39. Colombie.
40. Yougoslavie.
41. Espagne.
42. Costa-Rica.
43. Mexique.
44. Malaisie.
45. Chili.
46. Panama.
47. Grèce.
48. Cuba.
49. Jamaïque.
50. Chypre.
51. Uruguay.
52. Argentine.
53. Trinité.
54. Venezuela.
55. Porto-Rico.

Figure 23. Espérance de vie à la naissance et revenu par tête dans 55 pays (graphique repris de J. Vallin, la Mortalité dans les pays du Tiers monde : évolution et perspectives, *ex* Population, *23, 1968, 5, p. 858).*

Le déclin de la mortalité, jusqu'à un certain niveau tout au moins, dépend essentiellement de mesures de santé publique : application en masse de la médecine curative (antibiotiques notamment) et de la médecine préventive (vaccinations particulièrement), ainsi que l'assainissement des conditions sanitaires de vie (insecticides, adduction d'eau potable...). Ces mesures qui ont réduit considérablement l'impact des maladies infectieuses et parasitaires (malaria, choléra, variole, par exemple), sont assez indépendantes du développement socio-économique[3] et ne requièrent pas de transformations sociales profondes. Dès lors, la structure socio-culturelle de la société où de telles mesures sont appliquées, ne se trouve guère influencée dans son ensemble ni, particulièrement, dans les éléments sociologiques déterminant la natalité, ce qui ne fut pas le cas des pays européens au XIXe siècle. Malgré une forte réduction de la mortalité, la natalité des pays sous-développés se maintient à un niveau élevé et tend même à augmenter du fait de ce déclin. La réduction de la mortalité en effet provoque un rajeunissement de la structure par âge et amène une plus grande proportion de couples à survivre durant les âges féconds.

Par rapport à l'évolution des populations européennes au XIXe siècle, les processus de la transition démographique actuelle des pays sous-développés se différencient également par une plus grande *rapidité dans le temps*, du moins en ce qui concerne le déclin de la mortalité. Ceci peut être mis en évidence par la comparaison du nombre d'années requises dans différents pays pour l'augmentation de l'espérance de vie à la naissance à partir d'un niveau semblable voisin ici de 45 ans (fig. 24). Dans cette comparaison, l'évolution de la mortalité européenne au XIXe siècle est relativement bien représentée par l'évolution moyenne de l'Angleterre et du

3. Il n'en va pas de même pour les maladies dues à la malnutrition telles que les gastrites, duodénites, entérites et colites, que l'O.M.S. classe parmi les principales causes actuelles de décès dans les pays sous-développés; O.M.S., *Rapport épidémiologique et démographique*, Genève 1964, vol. 17, n° 13.

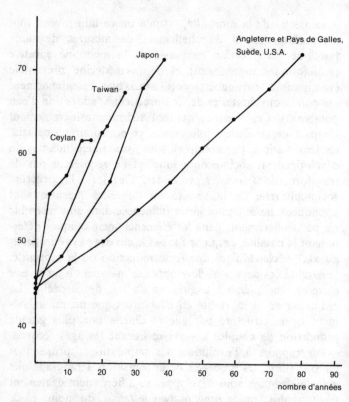

Figure 24. Nombre d'années requises, dans différents pays, pour la croissance de l'espérance de vie à la naissance à partir de 45 ans environ. N. B. L'année 0 correspond à : 1880 pour l'Angleterre et le Pays de Galles, la Suède et les U.S.A.; 1926-30 pour le Japon; 1936-41 pour Taïwan; 1945-47 pour Ceylan; (Sources : Angleterre, Pays de Galles, Suède, U.S.A. : Arriaga E. E., Davis K., The Pattern of Mortality Change in Latin America, Demography, 6, 1969, 3, p. 241; Basavarajappa K. C., Tye C. Y., Mortality, in I. U. S. S. P., Population Change : Asia and Oceania, 1967 Sidney Conference Proceedings, 1969, p.55).

Pays de Galles, de la Suède et des États-Unis d'Amérique, même si la baisse de la mortalité fut plus lente dans certains pays. Dans les pays européens considérés, au moins soixante-dix années furent nécessaires pour que l'espérance de vie à la naissance passe de 45 ans à 67 ans mais il ne faudra que trente ans au Japon pour une croissance semblable de son espérance de vie. De même, si celle-ci passe de 45 ans à 60 ans en une quinzaine d'années à Taïwan et à Ceylan, une évolution identique a pris quelque cinquante ans en Europe.

Cette plus grande rapidité du déclin de la mortalité est due aux conditions de départ différentes et à une moindre dépendance par rapport aux variables économiques, sociales et culturelles. Elle est également le résultat de la détermination de plus en plus marquée chez les responsables, de poursuivre le déclin de la mortalité pour lui-même en adoptant des programmes d'action adéquats pour réaliser cet objectif.

Le caractère moins *spontané* et plus *dirigé* des processus de transition actuels dans les pays sous-développés est une dernière divergence importante. La transition démographique du xixᵉ siècle apparaît spontanément comme conséquence d'une évolution de la société dans son ensemble. A ce propos, il n'est pas sans intérêt de souligner que les modifications économiques, l'industrialisation particulièrement, n'ont pas constitué le facteur principal de cette évolution démographique. Les transformations culturelles concomitantes ou même dans certains cas, en France par exemple, antérieures au changement économique, apparaissent comme le facteur essentiel, quoiqu'il soit difficile d'en faire une analyse précise. C'est ainsi que le déclin de la natalité suivit de très près et spontanément celui de la mortalité. La fécondité fut souvent d'abord limitée par le contrôle de la nuptialité (moindre intensité et mariages plus tardifs) sans que ce contrôle soit recherché explicitement pour réduire la fécondité elle-même. Il était plutôt une conséquence de diverses contraintes indirectes sociales (répartition des terres, système d'héritage, etc.). Par la suite, le relâchement de ces contraintes indirectes et la modification lente des mentalités favorisèrent une intensité et une précocité plus grandes des mariages. La fécondité générale continua cependant à baisser de plus en plus du fait de la limitation individuelle des naissances, pratiquée le plus souvent en dépit de l'attitude nataliste des responsables politiques et religieux.

La situation est très différente de nos jours. Le déclin de la mortalité a été provoqué beaucoup plus délibérément qu'en Europe par l'introduction d'éléments étrangers à la culture de la société. Généralement à l'initiative des gouvernants, l'application de programmes efficaces a provoqué un déclin rapide de la mortalité. Comme la natalité n'était guère influencée par ces programmes, si ce n'est dans le sens d'une augmentation, il en résulta une croissance démographique spectaculaire et inattendue.

Pour rétablir une croissance équilibrée de la population, la natalité devrait nécessairement diminuer. Ce déclin toutefois ne paraît pas devoir être spontané ni répondre à l'initiative individuelle. Contrairement à ce qui s'est passé en Europe au XIXᵉ siècle, l'Etat prend l'initiative de provoquer ce déclin, si pas à l'encontre des populations elles-mêmes, du moins en devant promouvoir leur collaboration. De fait, les transformations de la société n'ont pu encore engendrer des contraintes sociales suffisantes pour que les couples ressentent concrètement la nécessité de réduire leur fécondité. Il faut donc s'efforcer de les convaincre — ce qui implique des programmes visant à des transformations sociales beaucoup plus profondes que les modifications requises pour le déclin de la mortalité.

Le problème démographique contemporain

A notre époque, la *croissance trop rapide* de la population constitue un des principaux problèmes auxquels se trouve confrontée l'humanité, et de nombreuses personnalités tentent de mettre celle-ci en garde contre les dangers de ce qu'on appelle « l'explosion démographique », tant au niveau de certains pays qu'au niveau mondial. Si son accroissement actuel se maintenait, la population mondiale doublerait en nombre en moins de quarante ans. Dans cette même hypothèse, de nombreux pays du Tiers monde enregistreraient un doublement de leur population en moins de trente ans, voire même en moins de vingt-cinq ans (voir le tableau-annexe G). Quelques exemples permettent de percevoir la signification de telles croissances de population. Dans le tableau qui suit (tab. 15) les effectifs estimés en 1972 de la population de quelques pays sont projetés dans le temps en maintenant constante leur croissance actuelle. Les effectifs qui résulteraient de cette évolution après cinquante ou cent ans, paraissent tenir plus de la science-fiction que de la réalité.

Pays	1972	2022	2072
AFRIQUE			
Algérie	15,0	78,1	406,7
Maroc	16,8	92,0	503,4
Nigéria	58,0	212,8	780,9
République Arabe d'Egypte	35,9	145,6	590,4
AMÉRIQUE LATINE			
Brésil	98,4	399,0	1 618,2
Colombie	22,9	125,4	686,2
Pérou	14,5	68,3	321,9
Venezuéla	11,5	62,9	344,6
ASIE			
Chine continentale	786,1	1 839,2	4 303,0
Inde	584,8	2 041,1	7 124,0
Indonésie	128,7	548,7	2 339,0
Pakistan	146,6	763,3	3 974,8

Tableau 15. Populations de quelques pays, estimées (en millions) en 1972 et projetées en 2022 et en 2072, en supposant constant leur « taux » d'accroissement annuel de 1972. (Source : les estimations de populations en 1972 et les « taux » d'accroissement annuel sont repris au tableau-annexe G.)

Même si, en invoquant par exemple l'hypothèse rassurante de l'équilibre naturel, on parvient à se convaincre de l'impossibilité d'une telle évolution, on ne peut nier que ces chiffres reflètent la situation démographique de l'humanité et particulièrement de sa part la plus défavorisée. Ils soulignent suffisamment que, même en dehors de toutes considérations économiques et sociales, l'humanité ne pourra maintenir longtemps son rythme de croissance actuel. A long terme, un problème de nombre se posera tant au niveau de nombreux pays qu'au niveau de l'humanité dans son ensemble. Les arguments économiques et sociaux, en outre, mettent en relief le problème que pose à court terme l'accroissement démographique trop rapide. Aucune société développée ne pourrait sauvegarder son niveau actuel de développement si elle devait affronter l'accroissement démographique qui est celui de la plupart des pays sous-développés. Il sera d'autant plus difficile à ces derniers non seulement de maintenir mais d'améliorer, ou même de commencer, leur développement si tout effort en ce sens est aussitôt absorbé par la croissance de la population.

Sans doute n'existe-t-il pas de croissance démographique optimale définie scientifiquement *in abstracto*; celle-ci est essentiellement relative aux objectifs poursuivis par la société (objectifs militaires, politiques, économiques ou sociaux) et aux conditions dans lesquelles elle se trouve. Malgré les thèses opposées qui se rencontrent dans la littérature à propos des avantages et des inconvénients de la croissance démographique pour le progrès économique et social, il semble acquis que la croissance excessive de la population constitue en soi un frein sérieux au développement économique et social[4]. Ce frein sera d'autant plus important que les éléments non démographiques favorables au développement sont, dans la plupart des pays sous-développés,

---

4. Dans certains pays développés, la croissance trop faible et la structure âgée de la population pourraient également être un inconvénient pour le progrès économique et social.

insuffisants pour compenser les effets de la croissance démographique. Celle-ci entraîne une augmentation considérable de la population totale à très brève échéance et en outre elle accentue encore une structure par âge déjà très jeune. Ceci a notamment pour conséquence d'augmenter le nombre de personnes âgées de moins de quinze ans, généralement non actives et principalement consommatrices de biens et de services. Par ailleurs, le nombre d'entrées sur le marché du travail suit une progression parallèle sans que la société, dans son état actuel, soit en mesure de créer des emplois nouveaux en nombre suffisant.

A partir de modèles de simulation principalement, différentes études ont tenté de mettre en évidence les conséquences néfastes d'une croissance excessive de la population et l'accentuation de son impact au cours du temps. Parallèlement, elles ont essayé de prévoir les allégements et les avantages que procurerait une réduction de cette croissance, obtenue par une restriction de la fécondité. On est ainsi amené à constater que les mêmes investissements économiques et sociaux ont des répercussions très différentes par rapport au développement selon que la fécondité est freinée ou non. Dans le premier cas, ces investissements sont source d'un réel développement, dans le second ils ne peuvent que maintenir une situation déjà acquise. Or il est indispensable et urgent pour la plupart des pays du Tiers monde de dépasser la situation actuelle nettement insuffisante. Les éléments favorables au développement dont disposent ces pays ne paraissent absolument pas en mesure de contrebalancer les effets négatifs suscités par la croissance démographique. Aussi, sans provoquer le développement, la réduction de la croissance de la population semble devoir en faciliter le démarrage. Dans bien des cas, celui-ci ne pourrait même pas être envisagé sinon peut-être à très long terme. A ce moment, il serait vraisemblablement trop tard.

CHAPITRE IX

Des politiques démographiques

L'idée d'agir sur le mouvement démographique pour l'adapter à des impératifs politiques, sociaux ou économiques se retrouve sans doute chez de nombreux auteurs aussi loin que l'on remonte dans l'histoire. Cependant la promulgation de politiques démographiques nationales est une réalité assez récente. Elle s'est principalement affirmée en relation avec le problème suscité par l'explosion démographique dans le Tiers monde. Aussi ce chapitre est-il principalement consacré aux politiques qui ont pour objectif de réduire l'accroissement excessif de la population. Auparavant toutefois, nous envisagerons brièvement la situation des pays qui ne se trouvent pas confrontés à ce type de problème, à savoir essentiellement les pays développés.

Politiques démographiques des pays développés

En matière de politique démographique, les pays développés se caractérisent jusqu'à présent par l'absence de réelles politiques poursuivant des objectifs quelque peu précis à propos du mouvement de la population. Sans doute existe-t-il généralement de nombreuses mesures législatives et administratives qui peuvent avoir un impact sur la natalité, la mortalité ou la mobilité spatiale. Ces mesures toutefois répondent à des considérations diverses et sont loin de découler d'une politique cohérente en matière démogra-

phique. Elles paraissent plutôt devoir parer à certaines
difficultés du moment et leur perspective ne dépasse guère
guère le court terme.

Le déclin de la mortalité et l'amélioration de la santé de
la population sont recherchés par tous les pays mais les
implications démographiques de ces objectifs ne sont guère
envisagées. Les réglementations visant à limiter — ou à
promouvoir — les migrations internationales répondent le
plus souvent à des problèmes d'emploi et les facteurs démographiques n'interviennent guère dans les décisions; quand
ils interviennent, c'est bien souvent en antagonisme avec
d'autres objectifs.

C'est ainsi que les Pays-Bas, seul pays d'Europe occidentale
à se préoccuper d'un accroissement jugé excessif de sa population, ont développé un service d'émigration après la
seconde guerre mondiale. Ce service (Nederlandse Emigratie
Dienst) était destiné à promouvoir l'émigration par des
moyens de propagande et par une assistance financière
éventuelle. Il a cependant été mis progressivement en
veilleuse pour des raisons de coût excessif lorsqu'on s'est
rendu compte que 75 à 80 % des émigrants ainsi aidés
retournaient aux Pays-Bas au bout de quelques années.
Actuellement, le problème de l'accroissement de la population y est toujours sensible, mais la politique vise à favoriser l'implantation de travailleurs étrangers. Comme dans les
autres pays européens, la main-d'œuvre non qualifiée fait
de plus en plus défaut, elle est donc suppléée par un apport
de travailleurs en provenance des pays méditerranéens
surtout. Leur implantation dans le pays est, depuis 1970
favorisée par le gouvernement néerlandais grâce à des
mesures d'intégration à visées humanitaires et sociales
(éviter de créer un sous-prolétariat étranger).

En ce qui concerne la natalité, les tendances pro-natalistes
ont caractérisé pendant longtemps les pays développés sans
pour autant se traduire dans une réelle politique. La France
est sans doute le pays qui a élaboré la politique la plus

cohérente en ce domaine. En 1939, en effet, elle promulga le *Code de la famille* qui, complété dès la fin de la seconde guerre mondiale, constitue un ensemble cohérent de mesures visant à promouvoir la natalité. En fait, il semble avoir contribué au redressement de la natalité française après la seconde guerre mondiale. Dans les autres pays, les tendances pro-natalistes se sont traduites le plus généralement dans des mesures d'aide matérielle aux familles : allocations familiales, primes de naissances notamment. Leur objectif a été principalement de protéger le bien-être économique et social des familles. Si l'orientation pro-nataliste n'était pas absente, elle semble avoir constitué plutôt une justification complémentaire.

Parallèlement à ces mesures considérées comme natalistes, la législation des pays développés était le plus souvent très restrictive en ce qui concerne la contraception et l'avortement. Cette attitude derechef n'avait guère à voir avec la problématique démographique, mais se fondait sur des considérations d'ordre moral. C'est ainsi qu'une législation limitant drastiquement la propagande contraceptive a été votée en Belgique en 1923 (abrogée en juillet 1973). Au cours des travaux parlementaires préparatoires, on vit certes émerger des préoccupations démographiques, endiguer la dénatalité; mais un motif majeur fut de limiter les excès d'une publicité jugée immorale et offensante pour la pudeur. En conséquence, cette législation fut finalement insérée dans le code pénal belge au sein des chapitres luttant contre la pornographie.

Progressivement cependant, plusieurs pays ont adopté des politiques plus libérales en cette matière, toujours en se basant sur des considérations extra-démographiques et souvent, ignorant même les implications qu'elles pourraient avoir au niveau du mouvement de la population.

La situation à cet égard est loin d'être homogène. En ce qui concerne la contraception, des restrictions législatives existent encore dans certains pays, en France par exemple, mais elles tendent à disparaître à plus ou moins brève échéance. Parmi les pays qui ont adopté une attitude libérale en ce domaine, un grand nombre ont établi, ou aident tout au moins, des services d'information et de consultation en matière de contraception sans nécessairement adopter, comme le fit par exemple la Yougoslavie en 1969, une réelle politique pour diffuser la planification de la fécondité. En ce qui concerne l'avortement, il a été libéralisé dans une plus ou moins grande mesure par la plupart des pays du nord et de l'est de l'Europe, et plus récemment par la Grande-Bretagne et les États-Unis d'Amérique (avec des différences entre les Etats). Il reste prohibé par la loi dans plusieurs pays mais une tendance semble s'affirmer de plus en plus vers une certaine libéralisation.

Cette tendance se base en ordre principal sur la volonté du législateur de lutter contre l'avortement clandestin, qui est une réalité importante dans la plupart des pays. La libéralisation est conçue comme le seul moyen efficace de mettre hors la loi des pratiques qu'une législation répressive ne peut pas effectivement empêcher. Ce sont essentiellement des raisons de santé publique (les risques médicaux des avortements pratiqués dans des conditions insatisfaisantes) et, secondairement, des considérations économiques et de justice sociale qui amènent à combattre l'avortement clandestin.

Deux remarques s'imposent ici. Tout d'abord, on ne peut radicalement distinguer les conséquences d'une politique concernant la contraception de celles des législations en matière d'avortement. Une politique de contraception efficace et généralisée peut toujours être considérée comme une prévention du recours extensif à l'avortement. La législation danoise en donne un exemple : depuis 1966, des consultations de contrôle des naissances ont été rendues obligatoires après toute naissance ou tout avortement. En effet, aucun pays n'a jamais prôné le recours à l'avortement et sa libéralisation est pratiquée en quelque sorte à contrecœur. C'est un fait social dont la réalité ne peut être niée, mais le reconnaître ne signifie pas nécessairement l'approuver et encore moins l'encourager. Au contraire, l'association des législations portant sur la contraception et l'avortement montre une préoccupation de ne pas laisser ce dernier se développer excessivement.

En second lieu, l'expérience des pays ayant modifié leur politique envers l'interruption de la grossesse montre que les demi-mesures sont inapplicables et que l'évolution est inéluctable vers des législations claires et univoques — qu'elles soient libérales ou répressives. A cet égard également, le cas du Danemark est illustratif. L'avortement était radicalement prohibé jusqu'à ce que fût introduite, en 1937, la notion de « danger grave pour la mère » comme justificatif à une intervention. En quelques années, on vit augmenter, relativement avec lenteur, le nombre d'avortements mais, surtout, on constata que dans la très grande majorité des cas, le « danger grave » évoqué était de nature psychiatrique, c'est-à-dire qu'il recouvrait des justifications morales, psychologiques et socio-économiques plutôt que médicales. Mais cette interprétation étant extra-légale, de nombreuses personnes faisaient appel à des avorteurs clandestins. Pour mettre fin à cette situation, une loi promulguée en 1956 officialisa les motifs non médicaux, moyennant l'accord d'une commission d'experts devant être consultée avant tout avortement. Mais les pratiques clandestines réapparurent rapidement, notamment par le fait que toutes les commissions ne jugeaient pas les cas de la même manière; plutôt que de risquer un refus, de nombreuses femmes préféraient éviter la voie légale. Estimant qu'il s'agissait là d'une forme d'injustice sociale, inéluctable par ailleurs, le gouvernement danois élargit en 1970 les possibilités de recours à l'avortement de telle manière qu'on peut actuellement le considérer comme totalement libéralisé.

Tels sont les principaux éléments qui pourraient suggérer l'existence de politiques démographiques. Ils sont toutefois trop épars et parfois même contradictoires pour pouvoir constituer un tout cohérent. Sans doute serait-il souhaitable que les pays développés se posent davantage le problème de leur population et élaborent des politiques démographiques en fonction des objectifs collectifs qu'ils poursuivent. Jusqu'à présent cependant l'orientation que pourraient avoir de telles politiques paraît encore fortement controversée.

D'aucuns prônent, en effet, un certain accroissement positif de la population, qui se réaliserait spontanément ou, le cas échéant, devrait être maintenu en recourant à des mesures pro-natalistes. C'est notamment le cas de la France mais aussi de plusieurs pays socialistes qui, après 1965, ont adopté différentes mesures pour favoriser la natalité : Bulgarie, Hongrie, Tchécoslovaquie et Roumanie. Ce dernier pays a même limité très fortement le recours à l'avortement qui avait été libéralisé en 1956. Le retour à une législation très répressive, pour des motifs démographiques et économiques — la crainte que l'arrêt de la croissance de la population ne mette en péril les objectifs des Plans — illustre également la tendance évoquée plus haut : en matière d'avortement, les législations ne peuvent se fixer à des demi-mesures.

Selon une autre tendance, l'état stationnaire serait le but à poursuivre étant donné notamment l'impossibilité à long terme pour toute population de croître indéfiniment. Atteindre et maintenir l'état stationnaire dans une population où le contrôle individuel de la fécondité est d'une grande efficacité pourraient poser différents problèmes nouveaux et nécessiteraient sans aucun doute une politique démographique assez poussée. Ce problème, toutefois, ne se pose pas encore en termes concrets, et les pays qui semblent s'orienter dans ce sens, Etats-Unis d'Amérique, Grande-Bretagne et Pays-Bas, n'ont pas élaboré jusqu'ici de réelles politiques pour réaliser cet objectif.

Stratégies pour réduire
l'accroissement démographique

Le mouvement de la population est, ainsi qu'on l'a précisé plus d'une fois, fonction de la natalité, de la mortalité et de la mobilité spatiale, chacun de ces composants étant la résultante des propensions (à procréer, à décéder ou à migrer) et des effectifs qui y sont soumis. La *politique démographique* dont l'objet est justement l'orientation de ce mouvement, devra dès lors par nécessité agir sur ces composants ou sur l'un d'eux en tentant de modifier les propensions elles-mêmes ou, éventuellement de façon concomitante, les effectifs qui les subissent. Si donc on veut freiner cette croissance, il faudra augmenter les sorties (décès, émigrations) et/ou diminuer les entrées (naissances, immigrations).

Même si elle a permis dans certains cas (en Europe au XIXe siècle par exemple) de freiner une croissance démographique trop forte, l'*émigration* ne paraît plus être une solution valable pour les problèmes contemporains. Les pays développés qui représentent moins de 30 % de l'humanité, ne sont guère en mesure d'accueillir des émigrants du Tiers monde en nombre suffisant pour freiner sensiblement la croissance démographique de ces pays qui comprennent 70 % de l'humanité. Une telle solution est de plus utopique et irréalisable, les pays développés n'y étant absolument pas favorables. Elle ne ferait en outre que déplacer le problème sans freiner la croissance démographique mondiale qui paraît insoutenable à plus ou moins brève échéance.

L'augmentation de la *mortalité* va à l'encontre des valeurs humaines universellement acceptées. Tout homme désire vivre le plus longtemps possible et aucune politique n'oserait prôner ouvertement une telle solution si ce n'est en ce qui concerne la mortalité intra-utérine par l'avortement, qui peut d'ailleurs ne pas être perçue socialement en termes de mortalité. De plus, si l'on veut réduire la croissance excessive actuelle, c'est justement pour éviter l'apparition d'une hausse de la mortalité qui a constitué dans l'histoire le frein naturel de la croissance démographique.

Il ne resterait donc qu'à tenter de réduire la *natalité* en agissant sur la propension à procréer ou sur le nombre de personnes qui y sont soumises. Généralement, pour être soumises de façon habituelle à la propension à procréer, les personnes doivent se trouver dans une forme d'union au sein de laquelle la procréation est socialement attendue : elles doivent être « mariées », qu'il s'agisse de mariages légaux, de mariages coutumiers ou de mariages consensuels. On peut ainsi tenter d'agir sur la nuptialité pour en réduire l'intensité et en modifier le calendrier. La réduction de l'intensité visera à augmenter la proportion de célibataires définitifs et à freiner le remariage des veufs et des divorcés. La modification du calendrier impliquera non seulement d'élever l'âge minimal au mariage mais aussi d'étaler, au sein des générations, la formation des couples sur un plus grand nombre d'années après cet âge minimal[1]. Pour être efficace, une telle action exigerait des mesures législatives et administratives assez contraignantes qui ne sont pas toujours réalisables et seraient selon toute vraisemblance très peu populaires. En outre, elle semble au premier chef requérir des transformations sociales importantes, par exemple au niveau des structures familiales, des processus sociaux de la formation des couples, de l'image et du rôle de la femme au sein de la société.

Dans l'état actuel de nos connaissances, cependant, il reste encore malaisé de conclure sur les mesures concrètes à prendre pour réaliser une telle modification de la nuptialité et sur l'impact réel que cette modification pourrait avoir sur la natalité. L'action sur la fécondité, la propension à

1. Voir à ce propos R. Lesthaeghe, Nuptiality and Population Growth, *Population Studies*, XXV, 1971, 3, 415-432.

procréer, paraît en conséquence actuellement la plus importante si l'on veut réduire la croissance démographique.

Jusqu'il y a une quinzaine d'années, pour réaliser cet objectif, une alternative était présentée dont les termes, confrontés à la réalité, se sont cependant progressivement rapprochés. Le premier terme de l'alternative visait à réduire la fécondité par une action indirecte en promouvant le développement économique et social sans influencer directement la propension à procréer. Cette solution, parfois appelée « solution économique », se base sur des constatations souvent trop hâtives faites en Occident où le développement économique s'était accompagné de la baisse de la fécondité. Dès lors, pour réduire la fécondité des populations du Tiers monde, il paraissait suffisant de promouvoir leur industrialisation et leur urbanisation. De ce développement socio-économique découleraient inéluctablement les transformations sociales nécessaires à une chute spontanée de la fécondité. On était loin de se demander si la greffe de ces éléments de développement au sein d'une société donnée entraînerait toujours les mêmes conséquences sur la fécondité que celles qui furent enregistrées en Occident. Cette question était d'autant plus pertinente que cette greffe était faite de façon relativement arbitraire par rapport au dynamisme de cette société. Cette solution n'est plus guère défendue comme telle aujourd'hui. Les études et l'expérience ont démontré en suffisance que la croissance démographique exagérée avait pour effet sinon toujours de réduire à néant du moins de freiner considérablement toute tentative de démarrage économique, et que tout retard dans le temps rendait ce démarrage de plus en plus improbable.

Le second terme de l'alternative prônait une action directe sur la fécondité par la diffusion de moyens de limitation des naissances; cette solution fut d'abord connue sous le nom de « birth control », et plus tard sous celui de « family planning ». (Les ouvrages en langue française parlent souvent de « planning familial ». Nous maintiendrons cependant le terme anglais afin d'éviter toute confusion avec les programmes de planification de la fécondité que nous définirons plus loin.) Les tenants de cette opinion passèrent également par un stade euphorique pour aboutir finalement à une vision plus réaliste des choses. Ils considérèrent d'abord le « birth control » comme la solution-miracle à l'explosion démographique, quelle que soit la tendance vers le développement économique et social. Ils en arrivèrent en fin de compte à comprendre que la réalisation de cette solution dépendait de mutations et de transformations sociales plus larges, en quelque sorte du développement socio-économique.

La solution la plus généralement conseillée actuellement est celle de la diffusion des moyens mais aussi des comportements de limitation des naissances au niveau des couples. L'efficacité de cette solution reste cependant étroitement liée à un certain niveau de développement ou, tout au moins, à une orientation de la société vers ce développement.

Pour atteindre cet objectif, des mesures indirectes ont été proposées et le sont encore régulièrement, comme par exemple l'addition de substances stérilisantes temporaires (encore inconnues) dans l'eau courante ou dans les aliments de base, une taxe sur les naissances après une parité déterminée, l'établissement d'un « permis d'avoir des enfants » distribué de façon limitée aux couples par l'administration, la pension de vieillesse réservée aux personnes n'ayant pas eu plus d'un certain nombre d'enfants, un système fiscal favorisant les familles de dimensions restreintes, etc. Ces mesures toutefois, dont l'applicabilité paraît souvent faible et douteuse[2], ne pourraient se substituer à la stratégie d'ordinaire prônée pour diffuser la limitation des naissances au niveau des couples, même si elles constituent dans certains

2. Pour une étude critique des mesures indirectes, voir Berelson B., Au-delà de la planification familiale, *Etude de planning familial*, 38, janvier 1970, 20 p.

cas des adjuvants utiles.

Pour amener les couples à limiter leur fécondité, on tente en général de diffuser la contraception, la stérilisation et éventuellement l'avortement, en rendant plus accessible le recours à ces moyens et en tâchant de convaincre la population de l'intérêt personnel à y recourir. C'est principalement à cette stratégie, dite de « family planning », que se sont attachés un certain nombre de gouvernements de pays sous-développés, assistés par de grandes organisations privées et publiques, et, de plus en plus, par les organisations internationales.

La stratégie du « family planning » : évolution des idées et des faits

La décennie 1960 a été marquée par une évolution assez spectaculaire en faveur du « family planning ». Bien que cette évolution ne puisse s'expliquer que par référence à de nombreux éléments, on peut, sans vouloir être exhaustif, en citer quelques-uns qui ne sont pas les moins importants.

Les progrès de l'observation et de l'analyse démographiques ont permis d'étudier un plus grand nombre de pays encore peu connus à ce propos, et de révéler ainsi l'envergure du problème démographique. Par ailleurs, les résultats des études dites « enquêtes CAP » (enquêtes sur la Connaissance, les Attitudes et les Pratiques concernant la fécondité et son contrôle) ont semblé démontrer que les obstacles idéologiques, religieux notamment, au « family planning » étaient moins importants qu'on ne l'avait supposé. Ceci paraissait d'autant plus vrai que l'utilisation de nouvelles méthodes de contraception telles que le stérilet (ou DIU, c'est-à-dire dispositif intra-utérin) semblait requérir un minimum d'acceptation de la mentalité contraceptive. En outre, les expériences entreprises dans quelques pays, notamment à Taïwan, sans nécessairement être des politiques gouvernementales, ont été couronnées d'un succès suffisant pour que ce type de programmes soit considéré comme relativement efficace. A cela, s'ajoute l'insistance de certaines organisations d'aide technique et financière aux pays sous-développés, afin que ceux-ci s'efforcent d'endiguer la croissance démographique afin de maximiser l'aide reçue. Enfin, au niveau des organisations internationales, l'orientation en faveur des programmes de « family planning » fut favorisée par l'augmentation du nombre des représentants des pays sous-développés dont un bon nombre acquièrent leur indépendance à cette époque. Elle le fut aussi par la diminution de la résistance des opposants traditionnels, d'orientation principalement catholique ou communiste, à un quelconque engagement en cette matière des organisations internationales.

Cette évolution s'est marquée dans les *faits* principalement par un nombre croissant de gouvernements promulguant ou du moins appuyant ouvertement des programmes antinatalistes de ce type. En outre, parallèlement, c'est au cours des années 60 que se sont fortement intensifiées les activités des organisations publiques ou privées s'occupant de « family planning » et que les grandes organisations internationales se sont ouvertement engagées avec plus ou moins d'intensité à assister, sur leur demande, les gouvernements nationaux dans ce genre de politiques.

C'est ainsi que la Commission de la Population des Nations unies qui s'était toujours abstenue de participer aux programmes d'action antinataliste présente un rapport en 1965, où elle demande de pouvoir apporter l'assistance technique en matière de programmes antinatalistes aux pays qui en feraient la demande. La même année, ce rapport est adopté par le Conseil Economique et Social. Peu à peu, les différentes institutions spécialisées des Nations unies prennent des positions résolument favorables à l'étude des problèmes posés par le « family planning » et à un certain engagement en cette matière : par exemple l'Organisation Mondiale de la Santé (O.M.S.) en 1965, l'Organisation des Nations unies pour l'Education, la Science et la Culture (U.N.E.S.C.O.) en 1966, l'Organisation Internationale du Travail (O.I.T.) et la Banque Internationale pour la Reconstruction et le Développement (B.I.R.D.) en 1968. Pour sa part l'E.C.A.F.E. (The Economic Commission for Asia and the Far East), commission régionale du Conseil Economique et Social, avait déjà organisé en 1963, à New Delhi, une Conférence asiatique de la Population où il lui fut demandé de s'engager davantage dans le domaine démographique et notamment au niveau des politiques antinatalistes. En 1967, l'E.C.A.F.E. affirme ouvertement sa volonté d'accroître ses activités dans le domaine démographique y compris celui du « family planning ». C'est également à cette époque, que fut créé le Fonds des Nations unies pour les activités en matière de population.

Si cette évolution des idées et des faits a été favorisée par l'activité préexistante de certaines organisations publiques ou privées indépendantes des Nations unies, elle les amena en retour à intensifier leur participation en ce domaine au cours des années 60. Parmi celles-ci l'I.P.P.F. (International Planned Parenthood Federation), qui se consacre par définition au « family planning », a intensifié son rôle de pionnier en entreprenant des expériences dans différents pays principalement asiatiques d'abord — expériences dont plusieurs furent continuées au sein de programmes gouvernementaux. Parmi les fondations des Etats-Unis d'Amérique, le « Population Council » joue sans aucun doute un rôle de premier plan tant au niveau de la recherche scientifique et de la diffusion des résultats qu'au niveau de l'engagement dans le cadre de programmes d'action concrets à Taïwan et en Corée du sud par exemple. Cet intérêt croissant pour les problèmes démographiques et les moyens pour les résoudre se marque également parmi d'autres

fondations et organisations américaines dont la Fondation
Ford et la Fondation Rockefeller, et, depuis 1965, aussi
au sein de l'A.I.D. (The Agency for International Development). En Europe enfin, certains pays sont particulièrement
ouverts à ces problèmes, comme la Grande-Bretagne, le
Danemark et la Suède. Ce dernier pays a accordé une aide
bilatérale administrée par le S.I.D.A. (The Swedish International Development Authority) en matière de programme
de « family planning » notamment au Pakistan et à Ceylan.

Enfin, le fait le plus significatif est sans nul doute le nombre
croissant de *gouvernements* de pays à forte croissance démographique qui promulguent des politiques antinatalistes ou
tout au moins accordent aux programmes existants un
soutien plus ou moins important. Cette orientation antinataliste des gouvernements étant relativement récente, il
est encore malaisé de déterminer avec suffisamment d'exactitude l'intensité de leur engagement et de faire la part des
choses entre les déclarations officielles et les réalisations
pratiques. Un gouvernement peut avoir déclaré officiel-
lement le début d'une politique antinataliste et pourtant
être moins actif dans cette optique qu'un autre gouvernement qui, sans avoir de politique déclarée, soutient avec
efficacité les programmes de « family planning » existants.
Aussi la liste proposée par D. Nortman (tableau 16)
n'est-elle donnée qu'à titre d'indication. Elle suffit cependant
pour mesurer le changement radical qui s'est produit à cet
égard au cours des années 60 et surtout depuis 1965.

La stratégie du « family planning » : dimension et limites

Après avoir rapidement vu comment les idées et les faits ont
évolué en faveur des programmes de « family planning »

A. *Politique officielle pour réduire l'accroissement démographique et soutien officiel des programmes de « family planning »*

AFRIQUE	ASIE
Ghana (1969)	Bengladesh (1971)
Kenya (1966)	Ceylan (1965)
Maurice (île) (1965)	Chine continentale (1962)
Maroc (1965)	Corée du Sud (1961)
République Arabe d'Egypte (1965)	Inde (1952)
Tunisie (1964)	Indonésie (1968)
	Iran (1967)
AMÉRIQUE LATINE	Malaisie occidentale (1966)
Barbade (1967)	Népal (1966)
Colombie (1970)	Pakistan (1960)
Jamaïque (1966)	Philippines (1970)
Porto-Rico (1970)	Singapour (1965)
République Dominicaine (1968)	Taïwan (1968)
Trinité-et-Tobago (1967)	Thaïlande (1970)
	Turquie (1965)
	OCÉANIE
	Fiji (1971)

B. *Pas de politique officielle pour réduire l'accroissement démographique mais soutien officiel des programmes de « family planning » pour des raisons autres que démographiques*

AFRIQUE	El Salvador (1968)
Afrique du Sud (1966)	Equateur (1968)
Botswana (1971)	Guatemala (1969)
Dahomey (1969)	Haïti (1971)
Gambie (1969)	Honduras (1966)
Nigéria (1970)	Nicaragua (1967)
Ouganda (1972)	Panama (1969)
Rhodésie (1968)	Vénézuéla (1968)
Soudan (1970)	
Tanzanie (1970)	ASIE
	Afghanistan (1971)
AMÉRIQUE LATINE	Hong Kong (1956)
Bolivie (1968)	Vietnam du Nord (1962)
Chili (1965)	Vietnam du Sud (1968)
Costa Rica (1968)	
Cuba (peu après 1960)	OCÉANIE
	Iles Samoa occidentales (1971)

Tableau 16. Pays du Tiers monde répartis selon le type d'engagement gouvernemental vis-à-vis de la réduction de l'accroissement démographique et des programmes de family planning (entre parenthèses, la date du début de cet engagement). Les pays sous-développés non repris dans ce tableau n'ont aucune politique officielle pour réduire l'accroissement démographique et n'accordent aucun soutien officiel aux programmes de family planning. (Source : D. Nortman, Population and Family Planning Programs. A Factbook, Reports on Population/Family Planning, 2, 4e ed., sept. 1972, pp. 32 à 40.)

pour tenter de réduire la croissance démographique au niveau mondial et particulièrement au niveau des pays confrontés à l'explosion démographique, il serait utile d'examiner de plus près cette stratégie proposée. Ce faisant, nous n'envisagerons cependant pas les côtés plus techniques de cette stratégie : organisation, administration, travail sur le terrain, moyens nécessaires en personnel et en matériel, catégories de personnes à privilégier selon les étapes du programme, élaboration du support social aux motivations pour la limitation des naissances, collecte des données indispensables pour la gestion et l'évaluation du programme, etc. Cette réflexion aura principalement pour objectif de souligner l'ambiguïté dans laquelle baigne trop souvent de tels programmes. Elle tentera aussi d'apporter certains éléments pour saisir la vraie dimension du problème et de la stratégie proposée pour le résoudre, et aussi, parce que c'est indispensable, de *relativiser* quelque peu les attentes que trop souvent on place dans cette stratégie.

Dans cette optique, il n'est pas vain d'abord de bien marquer les différences entre une *politique antinataliste* et une *politique de planification de la fécondité* qui sont trop souvent confondues, à dessein ou non (peu importe ici), et qui se distinguent pourtant aux niveaux des objectifs poursuivis, des moyens utilisables et des justifications fondamentales.

Une politique de planification de la fécondité a pour but principal de rendre la procréation consciente et voulue; elle vise à amener les couples, non pas nécessairement à avoir moins ou plus d'enfants, mais à procréer selon un projet préétabli par eux en ce qui concerne le nombre d'enfants et le moment de leur naissance. Par contre, l'objectif d'une politique antinataliste sera de réduire la natalité d'une population déterminée afin d'en freiner la croissance.

Si les principaux moyens dont peuvent disposer ces deux politiques sont communs — à savoir la contraception, la stérilisation et l'avortement — la politique de planification de la fécondité devra également recourir aux moyens qui favorisent la fécondité comme le traitement de la stérilité, ce qui n'entre pas, en principe, dans le cadre d'une politique antinataliste. Celle-ci, par contre, peut ne pas se limiter aux propensions mais également vouloir réduire le nombre de personnes qui y sont exposées, en retardant l'âge du mariage et en restreignant l'intensité totale de la nuptialité. En outre, dans la mesure du possible, elle pourra recourir à des contraintes indirectes dont certaines furent signalées plus haut à titre exemplatif. Cette action sur la nuptialité et les mesures indirectes semblent moins indiquées dans le cadre d'une politique de planification de la fécondité.

Dans les justifications de ces politiques apparaît une différence plus fondamentale que dans les moyens auxquels elles recourent. Une politique antinataliste se justifiera par la pression démographique, de même qu'une politique nataliste se justifierait par une dépression démographique. La détermination de l'existence d'une pression ou d'une dépression de population sort du domaine de la science démographique et ne peut se faire que par rapport à des objectifs tels que le progrès économique, la puissance militaire, le développement culturel, etc.

La planification de la fécondité, quant à elle, se justifie en fonction des valeurs vécues dans les sociétés. Dans la mesure où elles reconnaissent que l'emprise de l'homme sur la nature est une valeur, et que la conscience et la liberté d'un acte contribuent à en définir la dimension humaine, la planification de la fécondité peut être considérée comme un progrès humain. Dès lors elle se doit d'être diffusée au sein des populations *indépendamment* de la pression démographique, celle-ci n'étant aucunement la justification et encore moins l'alibi d'une telle promotion. *A priori* dans ce cas, tout Etat conscient de ses responsabilités et quel que soit le degré de développement de la société, devrait veiller à ce que tous les couples aient la possibilité de procréer en toute conscience et en toute liberté.

S'il s'agit donc bien de deux réalités différentes, il ne faut pas conclure à une incompatibilité entre ces deux politiques. Il est certain qu'une politique antinataliste peut se servir de la diffusion de la planification familiale au sens strict pour atteindre ses propres objectifs. Ceci exigerait sans doute de ne pas se limiter à l'information mais bien de dispenser une véritable éducation plus longue à réaliser mais qui serait vraisemblablement plus efficace à moyen terme.

En général toutefois, ces deux réalités se trouvent confondues et l'ambiguïté des programmes de « family planning » tels qu'ils sont actuellement présentés a peut-être l'avantage de donner bonne conscience et celui de les faire accepter par un plus grand nombre. Elle a certainement l'inconvénient de mettre obstacle à l'appréhension du problème dans toute sa complexité. Cette confusion subtile peut se résumer en ces termes : on poursuit ou on veut poursuivre une politique antinataliste en la présentant comme une politique de planification de la fécondité, non seulement par la dénomination qu'on lui donne, « family planning program », mais aussi par les principes dont on se réclame. En d'autres termes, la plupart, sinon tous les programmes de « family planning » visent à réduire la natalité en diffusant des comportements pour éviter les naissances, mais affirment avec force le droit sacré des parents de décider librement de leur dimension familiale.

Cela suggère, comme le souligne K. Davis[3], que l'on croit que, à partir de millions de décisions individuelles, ressortira un contrôle de la croissance de la population pour le plus grand avantage de la société. Ce point de vue n'est pas du tout prouvé et, tout compte fait, il permettrait seulement de réduire la natalité de la part des naissances non désirées. K. Davis pense que, dans les pays sous-développés, l'élimination des naissances non désirées laisserait néanmoins un taux de croissance extrêmement élevé.

3. Davis K., Population Policy : Will Current Programs Succeed?, *Science*, 158, 1967, Nov. 10, p. 732.

Dans la pratique, ces affirmations de principe ne semblent guère respectées. En effet, ces politiques introduisent les populations non pas à la véritable planification de la fécondité mais seulement aux pratiques de limitation des naissances. On tâche de les persuader en les laissant bien sûr « libres » de décider. En s'armant de toutes les techniques de persuasion, allant des *mass media* aux gratifications individuelles, on essaie de les convaincre de la nécessité de l'utilisation de ces pratiques. Pour y réussir, il faut motiver ces populations, il faut exercer une pression plus ou moins contraignante et heurter la liberté individuelle plus ou moins fortement. Mais on se refuse à reconnaître la nécessité d'atteindre à la liberté individuelle afin de réaliser une véritable mutation sociale, mutation des structures existantes et mutation des mentalités surtout. On se refuse aussi à voir le problème dans sa totalité qui est justement cette mutation culturelle qu'il faut ou non diriger. Dès lors, on se limite à essayer de diffuser les pratiques de limitation des naissances et, pour ce faire, on cherche à motiver les populations d'une façon assez pragmatique et éclectique. En se refusant à s'en prendre explicitement à la structure sociale dans son ensemble, et aux mentalités en particulier, ce qui impliquerait de heurter de front la liberté de l'individu, on se donne bonne conscience mais on n'hésite pas, parce que c'est nécessaire, à bousculer un tant soit peu quelques éléments de la mentalité. Cette bousculade partielle, parce qu'elle est faite de façon pragmatique et qu'elle n'est que partielle, risque d'entraîner des conséquences sociales imprévues dont le coût pourrait être lourd.

Un dernier point qu'il est utile de soulever concerne ce que l'on peut attendre des politiques antinatalistes par rapport à la réduction de croissance démographique qu'elles peuvent induire. On justifie souvent de telles politiques par l'urgence du problème. La croissance démographique est telle, dit-on souvent, qu'il faut à tout prix la réduire le plus rapidement possible. Seules les politiques antinatalistes peuvent réaliser cet objectif. Attendre l'évolution normale induite par le développement serait catastrophique, vu le temps que cette évolution exigerait.

Cette argumentation n'est certainement pas fausse en soi, mais ce qu'on en comprend trop souvent est erroné. En outre, elle ne peut justifier des politiques du pire comme le font certains. Sans doute le déclin de la natalité doit-il être réalisé le plus rapidement possible, sans doute aussi les politiques antinatalistes sont-elles indispensables. Mais quelle que soit leur efficacité, le déclin prendra du temps et n'empêchera pas à court et à moyen termes une croissance de population qui restera considérable, même si elle atteint des niveaux impensables dans l'hypothèse où la situation actuelle perdurerait.

Il faut donc bien se convaincre que, tout indispensables qu'elles soient, les politiques antinatalistes efficaces ne résoudront pas en une génération les conséquences de l'explosion démographique. C'est une chose que l'on oublie trop souvent et dont on ne fait guère mention dans les écrits.

Et sans doute la mesure de l'efficacité démographique des politiques antinatalistes, en l'occurrence des programmes de « family planning », est-elle malaisée : les données disponibles sont insuffisantes et pas mal de problèmes méthodologiques restent à résoudre. La difficulté est encore accrue si l'on veut mesurer la fonctionnalité de ces résultats par rapport au développement socio-économique, élément pourtant fondamental dont on ne parle généralement guère. Mais, à partir d'indicateurs critiquables il est vrai, ces politiques paraissent obtenir des résultats démographiques non négligeables. La réussite semble toutefois être réservée à des populations bénéficiant de conditions particulières, favorables notamment du point de vue de l'instruction, du développement socio-économique, de l'ouverture sur la société nouvelle impliquée par le développement. Ce serait ainsi le cas de Taïwan, de Hong Kong, de Singapour et de la Corée du Sud, régions généralement citées pour avoir obtenu des résultats appréciables de leurs programmes de « family planning ».

S'il est difficile de mesurer l'incidence démographique réalisée, il est d'autant plus malaisé de prévoir ce que l'on peut attendre en général, sinon de façon relativement simplifiée en utilisant par exemple des modèles de simulation. Un essai de ce type a été réalisé par J. Bourgeois-Pichat et S.A. Taleb[4] qui ont calculé des perspectives de population pour le Mexique si ce pays provoquait, par une politique appropriée, un déclin de la fécondité assez considérable mais vraisemblable. La baisse de la fécondité qui en résulterait est en effet assez proche de celle que commencent à connaître quelques pays grâce entre autres à des programmes antinatalistes, tels que Taïwan, Porto-Rico et Singapour.

L'hypothèse de base de ces perspectives prévoit une

Après x années	*Selon l'hypothèse d'un déclin de la fécondité*		*Selon l'hypothèse du maintien de la situation actuelle*	
	Effectif de départ multiplié par	*Effectifs en millions*	*Effectif de départ multiplié par*	*Effectifs en millions*
40	2,5	126,8	3,7	189,8
50	3,0	152,1	5,2	264,0
60	3,3	167,3	7,2	367,2
90	4,0	202,8	19,5	988,2
100	4,0	202,8	27,1	1 374,6

Tableau 17. Evolution de l'effectif total de la population du Mexique selon les deux hypothèses : un déclin de la fécondité, le maintien de la situation actuelle (l'effectif de départ étant de 50,7 millions).

4. Bourgeois-Pichat J. et Taleb S. A., Un taux d'accroissement nul pour les pays en voie de développement en l'an 2000. Rêve ou réalité? *Population*, 25, 1970, 5, 957-974.

baisse de la fécondité telle que le nombre moyen d'enfants par femme passerait de 6,4 à 2,1 en 40 ans, ce qui représente une chute considérable qui permettrait, si ce dernier niveau se maintient, à la population du Mexique d'aboutir à l'état stationnaire après 90 années. La comparaison (tableau 17) de l'évolution de l'effectif global de la population mexicaine selon ces prévisions, et de l'évolution de cet effectif si la situation réelle actuelle se maintenait, c'est-à-dire un « taux » d'accroissement de 3,3 %, permet d'approcher d'assez près ce que l'on peut attendre des politiques antinatalistes.

Si cette comparaison souligne la nécessité de réduire la natalité, elle amène aussi à se rendre compte que tous les problèmes ne se trouvent pas résolus dans l'hypothèse d'un déclin rapide de la fécondité. A court et à moyen termes, et en dépit de politiques efficaces, les populations connaîtront encore une croissance énorme et ce pendant près de deux générations, étant donné l'effet des structures. Les politiques antinatalistes permettent de réduire cette croissance mais sont insuffisantes pour résoudre tous les problèmes que pose l'explosion démographique. Elles doivent donc nécessairement s'accompagner de politiques efficaces de développement économique et social.

Conclusion

Malgré sa démesure l'explosion démographique n'est qu'un élément du problème auquel se trouvent confrontées les sociétés du Tiers monde et l'humanité en général. La question est de savoir si la solution de ce problème sera laissée à l'initiative du hasard avec toutes les conséquences que cela implique, ou si l'homme sera capable de la concevoir et de la réaliser. La mutation sociale requise pour la réussite d'une politique antinataliste n'est qu'une partie de la mutation nécessaire pour le développement et doit donc se faire en harmonie avec cette dernière. Il est donc indispensable qu'une telle politique soit reprise comme partie intégrée d'une politique de développement. Et cette politique devra en outre inévitablement violer, en partie du moins, la liberté individuelle, que ce soit celle de procréer, de travailler, de consommer ou d'épargner. On ne peut nier cette nécessité et on a tout avantage à s'en rendre explicitement compte au plus tôt. Une telle prise de conscience doit cependant dépasser le constat fait par le rapporteur d'une réunion d'experts, qui écrivait : « (...) le moment n'est peut-être pas très éloigné où la libre volonté, dont le respect a été jusqu'à présent de règle dans tous les programmes, ne pourra plus se justifier devant le raz de marée démographique. »[5] Cette orientation pourrait permettre d'élaborer un plan de développement où la liberté individuelle se trouvera peut-être réduite au cours des premières étapes mais pourra à coup sûr trouver son plein épanouissement ultérieurement, plutôt que d'être affirmée dans les assemblées sans pouvoir être vécue dans la réalité.

5. *Problèmes démographiques. Aide internationale et recherche.* Exposés et comptes rendus de la première conférence du Centre de Développement sur les problèmes démographiques (Paris, 3-5 décembre 1968), Paris, Centre de Développement de l'O.C.D.E., 1969, p. 15.

Tableau Annexe A - Table de mortalité féminine (e₀ = 69,04)

Age exact x	$_5q_x$	$_5d_x$	l_x	$_nL_x$	$_nP_x$
0	0,03246	3 246	100 000	491 885	0,98179
5	0,00349	338	96 754	482 926	0,99700
10	0,00250	241	96 416	481 479	0,99676
15	0,00399	384	96 175	479 917	0,99527
20	0,00548	525	95 791	477 645	0,99402
25	0,00648	617	95 266	474 789	0,99228
30	0,00896	848	94 649	471 125	0,99005
35	0,01094	1 026	93 801	466 439	0,98710
40	0,01489	1 382	92 775	460 420	0,98073
45	0,02371	2 167	91 393	451 549	0,97006
50	0,03632	3 241	89 226	438 029	0,95757
55	0,04877	4 194	85 985	419 443	0,93193
60	0,08835	7 226	81 791	390 893	0,88797
65	0,13800	10 290	74 565	347 102	0,81901
70	0,23087	14 839	64 275	284 278	0,72040
75	0,34295	16 954	49 436	204 795	0,39652
80	1,00000	32 482	32 482	81 205	

Tableau Annexe B - Table de mortalité féminine (e₀ = 49,96)

Age exact x	$_5q_x$	$_5d_x$	l_x	$_nL_x$	$_nP_x$
0	0,18152	18 152	100 000	454 620	0,89057
5	0,02136	1 748	81 848	404 870	0,98100
10	0,01659	1 329	80 100	397 178	0,98043
15	0,02261	1 781	78 771	389 403	0,97432
20	0,02886	2 222	76 990	379 398	0,96927
25	0,03266	2 442	74 769	367 738	0,96518
30	0,03704	2 679	72 326	354 933	0,96077
35	0,04151	2 891	69 647	341 008	0,95608
40	0,04644	3 100	66 756	326 030	0,94998
45	0,05376	3 422	63 656	309 725	0,93753
50	0,07168	4 317	60 234	290 375	0,91695
55	0,09530	5 329	55 916	266 258	0,88344
60	0,14005	7 085	50 587	235 225	0,83317
65	0,19797	8 612	43 503	195 983	0,76029
70	0,29176	10 180	34 890	149 003	0,65661
75	0,41629	10 287	24 711	97 838	0,36857
80	1,00000	14 424	14 424	36 060	

Tableau Annexe C - Table de nuptialité féminine

Age exact x	$_5m_x$	$_5n_x$	C_x
15	4 113	0,4113	10 000
20	4 182	0,7104	5 887
25	1 359	0,7971	1 705
30	162	0,4682	346
35	44	0,2391	184
40	28	0,2000	140
45	19	0,1696	112
50			93

Tableau Annexe D - Table de mortalité féminine ($e_0 = 49,97$)

Age exact x	$_5q_x$	$_5d_x$	l_x	$_5L_x$	$_5P_x$
0	0,18135	18 135	100 000	454 662	0,89066
5	0,02136	1 749	81 865	404 952	0,98099
10	0,01659	1 330	80 116	397 255	0,98042
15	0,02260	1 780	78 786	389 477	0,97429
20	0,02886	2 223	77 005	379 467	0,96926
25	0,03265	2 442	74 782	367 805	0,96518
30	0,03704	2 680	72 340	355 000	0,96076
35	0,04151	2 892	69 660	341 070	0,95607
40	0,04643	3 101	66 768	326 087	0,94998
45	0,05375	3 423	63 667	309 777	0,93752
50	0,07167	4 318	60 244	290 425	0,91694
55	0,09530	5 330	55 926	266 305	0,88344
60	0,14005	7 086	50 596	235 265	0,83316
65	0,19796	8 614	43 510	196 015	0,76029
70	0,29172	10 180	34 896	149 030	0,65662
75	0,41626	10 289	24 716	97 857	0,36856
80	1,00000	14 427	14 427	36 067	

Tableau Annexe E - Table de mortalité féminine en analyse transversale ($e_o = 49,95$)

Age exact x	$_5q_x$	$_5d_x$	l_x	$_5L_x$	$_5P_x$
0	0,18153	1 815	10 000	45 462	0,89055
5	0,02137	175	8 185	40 486	0,98098
10	0,01661	133	8 010	39 716	0,98044
15	0,02260	178	7 877	38 939	0,97429
20	0,02888	222	7 699	37 938	0,96924
25	0,03266	244	7 476	36 771	0,96519
30	0,03705	268	7 232	35 491	0,96075
35	0,04152	289	6 964	34 098	0,95607
40	0,04645	310	6 675	32 600	0,94997
45	0,05376	342	6 365	30 969	0,93755
50	0,07169	432	6 023	29 035	0,91693
55	0,09528	533	5 591	26 623	0,88348
60	0,14005	708	5 058	23 521	0,83313
65	0,19800	861	4 350	19 596	0,76026
70	0,29177	1 018	3 489	14 898	0,65660
75	0,41628	1 029	2 470	9 782	0,36864
80	1,00000	1 442	1 442	3 606	

Tableau Annexe F - Table d'émigration ($e_o = 50$)

Age	$_5\varepsilon_x$	$1 - {_5\varepsilon_x}$	s_x	$_5E_x$	$_5S_x$
0	0,02096	0,97904	100 000	2 096	494 760
5	0,01405	0,98595	97 904	1 376	486 081
10	0,00703	0,99297	96 528	679	480 946
15	0,01137	0,98863	95 850	1 090	476 524
20	0,03300	0,96700	94 760	3 127	465 982
25	0,03610	0,96392	91 633	3 306	449 899
30	0,01970	0,98035	88 327	1 736	437 294
35	0,01178	0,98822	86 591	1 020	430 404
40	0,00627	0,99373	85 571	537	426 513
45	0,00459	0,99541	85 034	390	424 195
50	0,00319	0,99681	84 644	270	422 544
55	0,00269	0,99731	84 374	227	421 301
60	0,00184	0,99816	84 147	155	420 346
65	0,00234	0,99766	83 992	197	419 468
70	0,00116	0,99884	83 795	97	418 733
75	0,00110	0,99890	83 698	92	418 259
80	0,00083	0,99917	83 606	69	417 856
85			83 536		

Tableau Annexe G

Informations statistiques pour 160 pays en 1972
(1972 World Population Data Sheet, reproduit avec la permission du Population Reference Bureau, Inc. à Washington)

Région ou pays[1]	Population estimée à la mi-année (en millions)[2]	« Taux » brut de natalité (en ‰)[3]	« Taux » brut de mortalité (en ‰)[3]	« Taux » d'accroissement annuel (en %)[4]	Temps de doublement[5]	Population projetée en 1985 (en millions)[6]	Quotient de mortalité infantile (en ‰)[3]	Pourcentage de la population âgée de moins de 15 ans[7]	Pourcentage de la population âgée de plus de 64 ans[7]	Pourcentage de la population résidant dans des villes d'au moins 100 000 habitants[9]	Produit national brut par habitant (en $ U.S.)[10]
LE MONDE	3 782[11]	33	13	2,0	35	4 933	—	37	5	23	—
AFRIQUE	364	47	21	2,6	27	530	—	44	3	11	—
Afrique du Nord	92	47	17	3,0	23	140	—	45	3	21	
Algérie	15,0	50	17	3,3	21	23,9	86	47	3	14	260
Libye	2,0	46	16	3,1	23	3,1	—	44	5	26	1 510
Maroc[12]	16,8	50	16	3,4	21	26,2	149	46	L	24	190
République Arabe d'Egypte	35,9	44	16	2,8	25	52,3	118	43	L	31	160
Soudan	16,8	49	18		23	26,2	121	47			110

Cap Vert (îles du)[13]	0,3	39	14	28	2,5	121	0,3	42	L	N.A.	120
Côte d'Ivoire	4,5	46	23	29	2,4	138	6,4	43	L	12	240
Dahomey	2,8	51	26	27	2,6	149	4,1	46	L	6	P
Gambie	0,4	42	23	37	1,9	125	0,5	38	L	N.A.	110
Ghana[12]	9,6	47	18	24	2,9	122	14,9	45	L	18	190
Guinée	4,1	47	25	30	2,3	216	5,7	44	7	6	P
Guinée Portugaise[13]	0,6	41	30	63	1,1	—	0,7	37	L	N.A.	260
Haute Volta	5,6	49	29	35	2,0	182	7,7	42	L	N.A.	P
Libéria	1,2	50	23	26	2,7	137	1,6	37	L	N.A.	200
Mali	5,3	50	27	30	2,3	190	7,6	49	L	5	P
Mauritanie	1,2	44	23	33	2,1	137	1,7	—	—	N.A.	140
Niger	4,1	52	23	24	2,9	148	6,2	45	L	N.A.	P
Nigeria	58,0	50	25	27	2,6	—	84,7	43	L	7	P
Sénégal	4,1	46	22	29	2,4	136	5,8	42	L	15	200
Sierra Leone	2,8	45	22	30	2,3	136	3,9	37	5	7	170
Togo[12]	2,0	51	26	28	2,5	163	2,8	48	L	10	100
Afrique orientale	103	47	22	28	2,5	—	149	44	3	5	—
Burundi	3,8	48	25	30	2,3	150	5,3	47	L	N.A.	P
Comoro (îles)[13]	0,3	—	—	—	—	—	0,4	44	L	N.A.	130
Ethiopie	26,2	46	25	33	2,1	—	35,7	44	L	3	P
Kenya[12]	11,6	48	18	23	3,0	—	17,9	46	L	7	130
Malawi	4,7	49	25	28	2,5	119	6,8	44	L	4	P
Maurice	0,9	27	8	37	1,9	58	1,2	42	L	17	230
Mozambique[13]	8,1	43	23	33	2,1	—	11,1	42	L	4	210
Ouganda[12]	9,1	43	18	27	2,6	160	13,1	41	L	4	210
République Malgache	7,3	46	25	33	2,1	102	10,8	46	L	6	110
Réunion[13]	0,5	35	9	26	2,7	58	0,7	46	L	N.A.	660

	—										
Rhodésie	5,4	48	14	3,4	21	8,6	122	48	L	14	240
Ruanda	3,8	52	23	2,9	24	5,7	124	—	—	N.A.	P
Somalie	2,9	46	24	2,2	32	4,2	190	—		7	P
Tanzanie[12]	14,0	47	22	2,6	27	20,3	162	44	L	3	P
Zambie[12]	4,6	50	21	2,9	24	7,0	159	45	L	11	290
Afrique centrale	38	44	24	2,1	33	52	—	42			—
Angola[13]	5,9	50	30	2,1	33	8,1	192	42	3	6	210
Cameroun	6,0	43	23	2,0	35	8,4	137	39	L	6	150
Gabon	0,5	33	25	0,8	87	0,6	184	36	L	6	320
Guinée Equatoriale	0,3	35	22	1,4	50	0,4	—	35	7	N.A.	290
Rép. Centrafricaine	1,6	46	25	2,1	33	2,2	163	42	L	11	130
Rép. Populaire (Congo)	1,0	44	23	2,1	33	1,4	148	42	L	21	220
Tchad	3,9	48	25	2,3	30	5,5	160	46	L	N.A.	P
Zaïre	18,3	44	23	2,1	33	25,8	115	42	L	7	P
Afrique méridionale	24	41	18	2,4	29	34	—	40	4	29	—
Afrique du Sud[12]	21,1	41	17	2,4	29	29,7	138	40	L	32	710[19]
Botswana	0,7	44	23	2,2	32	0,9	175	43	L	N.A.	P
Lesotho	1,1	39	21	1,8	39	1,4	181	43	5	N.A.	P
Souaziland	0,4	52	24	2,8	25	0,7	168	47	L	N.A.	180
Sud-Ouest africain (Namibie)	0,7	44	25	2,0	35	0,9	—	40	5	N.A.	710[19]
ASIE	2 154	37	14	2,3	30	2 874	—	40	4	16	—
Asie du Sud-Ouest	82	44	16	2,8	25	121	—	43	4	22	—
Arabie Saoudite	8,2	50	23	2,8	25	12,2	—	—	—	14	380
Bahrein	0,2	50	19	3,1	23	0,3	—	—	L	N.A.	420
Chypre	0,6	23	8	0,9	77	0,7	26	33	7	18	970

Irak	10,4	49	15	3,4	21	16,7	104	48	5	31	310
Israël	3,0	27	7	2,4	29	4,0	23	33	7	55	1 570
Jordanie	2,5	48	16	3,3	21	3,9	115	47	L	20	280
Koweit[14]	0,8	43	7	8,2	9	2,4	39	38	L	59	3 320
Liban	3,0	—	—	—	—	4,3	—	—	—	33	580
Oman	0,7	50	19	3,1	23	1,1	—	—	—	N.A.	210
Qatar	0,1	50	19	3,1	23	0,1	—	—	L	N.A.	1 550
Rép. Arabe du Yémen	6,1	50	23	2,8	25	9,1	—	—	—	N.A.	P
Rép. Populaire (Yémen)	1,4	50	21	2,9	24	2,0	—	—	—	28	120
Syrie	6,6	48	15	3,3	21	10,5	—	47	L	31	260
Turquie	37,6	40	15	2,5	28	52,8	119	42	L	18	350
Asie centrale	806	44	17	2,6	27	1 137	—	43	3	11,	—
Afghanistan	17,9	51	27	2,4	29	25,0	—	—	—	4	P
Bhoutan	0,9	—	—	2,2	32	1,2	—	—	—	N.A.	P
Ceylan	13,2	31	8	2,3	30	17,7	48	41	L	11	190
Inde[12]	584,8	42	17	2,5	28	807,6	139	42	L	10	110
Iran	30,2	45	17	2,8	25	45,0	—	46	L	23	350
Maldive (îles)	0,1	46	23	2,3	31	0,1	—	44	L	N.A.	P
Népal	11,8	45	23	2,2	32	15,8	—	40	L	4	P
Pakistan[15]	146,6	51	18	3,3	21	224,2	142	45	L	10	110
Sikkim	0,2	48	29	1,9	37	0,3	—	40	L	N.A.	P
Asie du Sud-Est	304	43	15	2,8	25	434	—	44	3	12	—
Birmanie	29,1	40	17	2,3	30	39,2	—	40	L	7	P
Indonésie	128,7	47	19	2,9	24	183,8	125	44	L	12	⎫ 100
Irian occidental[13]	0,9	—	—	—	—	1,3	—	—	—	N.A.	⎭
Khmère (Républ.)	7,6	45	16	3,0	23	11,3	127	44	L	10	130
Laos	3,1	42	17	2,5	28	4,4	—	—	—	7	110

Malaisie[12]	11,4	37	8	2,8	25	16,4	—	44	L	17	340
Philippine[12]	40,8	45	12	3,3	21	64,0	67	47	L	16	210
Singapour	2,2	23	5	2,2	32	3,0	21	39	L	100	800
Thaïlande[12]	38,6	43	10	3,3	21	57,7	—	43	L	8	160
Timor portugais[13]	0,6	43	25	1,8	39	0,8	—	—	—	N.A.	P
Vietnam du Nord (Rép. Dém.)	22,0	—	—	—	—	28,2	—	—	—	11	P
Vietnam du Sud (Rép.)	18,7	—	—	—	—	23,9	—	—	—	13	140
Asie orientale	962	29	12	1,7	41	1 182	—	35	4	20	—
Chine Continentale	786,1	30	13	1,7	41	964,6	—	—	—	14	P
Chine (Taiwan)	14,7	28	5	2,3	30	19,4	18	43	L	38	300
Corée du Nord (Rép. dém. populaire)	14,7	39	11	2,8	25	20,7	—	—	—	17	280
Corée du Sud (Rép.)	33,7	31	11	2,0	35	45,9	—	40	L	33	210
Hong Kong[12][13]	4,4	20	5	2,4	29	6,0	19	38	L	100	850
Japon	106,0	19	7	1,2	58	121,3	13	24	7	55	1 430
Macao[13]	0,3	—	—	—	—	0,4	—	39	5	100	150
Mongolie	1,4	42	11	3,1	23	2,0	—	31	6	27	460
Ryū-kyū (îles)[12][16]	1,0	22	5	1,7	41	1,3	—	34	6	30	700
AMERIQUE DU NORD	231	17	9	1,1	63	274	—	29	9	57	—
Canada	22,2	17,5	7,3	1,7	41	27,3	19,3	30	8	49	2 650
Etats-Unis[17]	209,2	17,3	9,3	1,0	70	246,3	19,2	29	10	58	4 240
AMERIQUE LATINE	300	38	10	2,8	25	435	—	42	4	31	—
Amérique centrale	72	43	11	3,2	22	112	—	46	3	20	

El Salvador	3,7	40	10	3,0	23	5,9	67	45	L	14	290
Guatemala	5,4	43	17	2,6	27	7,9	92	46	L	15	350
Honduras	2,9	49	17	3,2	22	4,6	—	47	L	10	260
Mexique[12]	54,3	43	10	3,3	21	84,4	69	46	L	21	580
Nicaragua	2,2	46	17	2,9	24	3,3	—	48	L	18	380
Panama	1,6	38	9	2,9	24	2,5	41	44	L	30	660
Les Caraïbes[18]	27	33	11	2,2	32	36	—	40	4	21	—
Barbade	0,3	21	8	0,8	87	0,3	42	36	7	N.A.	500
Cuba	8,7	27	8	1,9	37	11,0	48	31	6	31	280
Dominicaine (Rép.)[12]	4,6	49	15	3,4	21	7,3	64	47	5	18	280
Guadeloupe[13]	0,4	30	8	2,2	32	0,5	45	43	5	N.A.	540
Haïti	5,5	44	20	2,4	29	7,9	—	38	L	8	P
Jamaique[12]	2,1	33	8	2,1	33	2,6	39	46	L	28	550
Martinique[13]	0,4	27	8	1,6	44	0,5	35	43	5	N.A.	690
Porto Rico[13]	2,9	25	7	1,4	50	3,4	26	37	7	33	1 410
Trinité-et-Tobago[12]	1,1	23	7	1,1	63	1,3	37	42	L	N.A.	890
Amérique du Sud tropicale	160	40	10	3,0	23	236	—	43	3	32	—
Bolivie	4,9	44	19	2,4	29	6,8	—	42	L	15	160
Brésil	98,4	38	10	2,8	25	142,6	—	43	L	34	270
Colombie	22,9	44	11	3,4	21	35,6	76	47	L	35	290
Equateur	6,5	45	11	3,4	21	10,1	91	48	L	21	240
Guyane	0,8	36	8	2,8	25	1,1	40	45	L	27	340
Pérou	14,5	42	11	3,1	23	21,6	72	45	L	22	330
Surinam[13]	0,4	41	7	3,2	22	0,6	30	46	L	34	560
Vénézuela	11,5	41	8	3,4	21	17,4	47	47	L	37	1 000

Amérique du Sud tempérée	41	25	9	1,7	51	41	—	32	7	52	—
Argentine[12]	25,0	22	9	1,5	29,6	47	58	30	7	61	1 060
Chili[12]	10,2	28	9	1,9	13,6	37	92	39	5	37	510
Paraguay	2,6	45	11	3,4	4,1	21	67	46	L	19	240
Uruguay	3,0	21	9	1,2	3,4	58	49	28	8	53	560
EUROPE	469	16	10	0,7	515	99	—	25	12	38	—
Europe du Nord	82	16	11	0,5	90	139	—	24	13	58	—
Danemark	5,0	14,4	9,8	0,5	5,5	139	14,8	24	13	38	2 310
Finlande	4,8	13,7	9,5	0,4	5,0	174	12,5	26	12	24	1 980
Irlande	3,0	21,8	11,5	0,7	3,5	99	19,2	31	8	31	1 110
Islande	0,2	19,5	7,1	1,2	0,3	58	13,3	33	11	N.A.	1 850
Norvège	4,0	16,6	9,8	0,7	4,5	99	13,8	25	9	26	2 160
Royaume-Uni	56,6	16,2	11,7	0,5	61,8	139	18,4	24	13	71	1 890
Suède	8,2	13,7	9,9	0,4	8,8	174	11,7	21	13	33	2 920
Europe occidentale	151	15	11	0,5	163	139	—	24	13	45	—
Allemagne de l'Ouest	59,2	13,3	11,7	0,2	62,3	347	23,6	25	12	54	2 190
Autriche	7,5	15,2	13,4	0,2	8,0	347	25,9	24	14	36	1 470
Belgique	9,8	14,7	12,3	0,2	10,4	347	20,5	24	13	28	2 010
Berlin (ouest)[13]	2,1	9,5	19,0	-1,0	1,9	—	25,8	15	21	100	—
France	51,9	16,7	10,6	0,7	57,6	99	15,1	25	13	40	2 460
Luxembourg	0,4	13,2	12,3	0,1	0,4	693	24,6	22	12	N.A.	2 420
Pays-Bas	13,3	18,4	8,4	1,0	15,3	70	12,7	27	10	45	1 760
Suisse	6,4	15,8	9,1	1,0	7,4	70	15,1	23	11	33	2 700
Europe orientale	106	17	10	0,7	116	99	—	24	11	24	—
Allemagne de l'Est	16,3	13,9	14,1	0,0	16,9		18,8	24	15	23	1 570

Bulgarie	8,7	16,3	9,1	0,7	99	9,4	27,3	23	9	21	860
Hongrie	10,4	14,7	11,7	0,3	231	11,0	35,9	21	11	24	1 100
Pologne	33,7	16,8	8,2	0,9	77	38,2	33,2	28	8	31	940
Roumanie	20,8	21,1	9,5	1,2	58	23,3	49,4	26	8	22	860
Tchécoslovaquie	14,9	15,8	11,4	0,5	139	16,2	22,1	24	11	16	1 370
Europe méridionale	131	18	9	0,9	77	146	—	26	10	30	—
Albanie	2,3	35,3	7,5	2,8	25	3,3	86,8	—	—	10	430
Espagne	33,9	19,6	8,5	1,0	70	38,1	27,9	28	9	33	820
Grèce	9,0	16,3	8,3	0,8	87	9,7	29,3	25	10	34	840
Italie	54,5	16,8	9,7	0,7	99	60,0	29,2	24	10	29	1 400
Malte[14]	0,3	16,3	9,4	-0,7	—	0,3	27,9	28	9	N.A.	710
Portugal	9,7	18,0	9,7	0,8	87	10,7	58,0	29	9	24	510
Yougoslavie	21,0	17,8	9,0	0,9	77	23,8	55,2	28	7	28	580
U.R.S.S.	248	17,4	8,2	0,9	77	286,9	24,4	28	8	31	1 200
OCEANIE[18]	20	25	10	2,0	35	27	—	32	7	49	—
Australie	13,0	20,5	9,0	1,9	37	17,0	17,9	29	8	65	2 300
Fiji	0,6	30	5	1,8	39	0,8	22	45	L	N.A.	390
Nouvelle-Zélande	3,0	22,1	8,8	1,7	41	3,8	16,7	32	8	46	2 230
Papua-Nouvelle-Guinée[13]	2,5	—	—	—	—	3,6	—	43	L	N.A.	210

POPULATION MONDIALE ET REGIONALE (en millions)

	Monde	Asie	Europe	U.R.S.S.	Afrique	Amérique du Nord	Amérique latine	Océanie
Mi-1972	3 782	2 154	469	248	364	231	300	20
Estimation moyenne des Nations unies pour l'an 2000	6 494	3 777	568	330	818	333	652	35

NOTES (tableau annexe G).

1. Tous les pays-membres des Nations unies ainsi que toutes les entités géopolitiques ayant une population supérieure à 200 000 habitants.
2. Estimations tirées de *Total Population Estimates for World, Regions and Countries, Each Year, 1950-1985*, United Nations, Population Working Paper nº 34, octobre 1970.
3. Dernière année disponible. Excepté pour les « taux » d'Amérique du Nord, les estimations sont essentiellement celles qui étaient disponibles en janvier 1972 dans *United Nations Population and Vital Statistics Report*, Series A, vol. XXIV, nº 1, avec les ajustements qui se sont avérés nécessaires étant donné les déficiences de l'enregistrement dans certains pays.
4. Le « taux » annuel d'accroissement démographique (« taux » d'accroissement naturel corrigé par le solde migratoire) est obtenu à partir des dernières estimations disponibles publiées par les Nations unies, excepté lorsqu'il est établi que des changements importants se sont produits dans les « taux » bruts de natalité ou de mortalité, ou dans les flux migratoires.
5. Dans l'hypothèse où le « taux » d'accroissement reste constant.
6. Estimations tirées de *Total Population Estimates for World, Regions and Countries, Each Year, 1950-1985*, United Nations, Population Division Working Paper, nº 34, octobre 1970.
7. Dernière année disponible. Données tirées de *United Nations World Population Prospects, 1965-1985, As Assessed in 1968*, Population Working Paper, nº 30, décembre 1969, et *United Nations Demographic Yearbook, 1970*.
8. Définition : Villes — aires urbanisées, aires métropolitaines et agglomérations urbaines telles qu'elles furent définies par Kingsley Davis (cf. note 9).
9. Estimations pour 1970. Données reprises à Kingsley Davis, *World Urbanisation 1950-1970, vol. I. Basic Data for Cities, Countries and Regions* (Population Monograph Series nº 4), Berkeley, University of California, 1969.
10. Données de 1969 procurées par la Banque Internationale pour la Reconstruction et le Développement.
11. Le total tient compte des ajustements faits par les Nations unies pour parer aux divergences des données sur les migrations internationales.
12. Pour ces pays, les estimations des Nations unies diffèrent de plus de 3 % par rapport aux données récentes de recensement. Etant donné l'incertitude en ce qui concerne l'exhaustivité et l'exactitude des données de recensement, les estimations des Nations unies ont été reprises ici.
13. Pays non indépendant.
14. Le taux d'accroissement naturel est de + 3,6 pour Koweit et de + 0,7 pour Malte. Les différences par rapport aux taux d'accroissement repris ici s'expliquent par le fait que la migration affecte considérablement l'effectif assez réduit de leur population.
15. En 1972, la population du Pakistan occidental est estimée à 66,9 millions et celle du Bengladesh à 79,6 millions.
16. Rendu au Japon depuis le 15/5/1972.
17. Pour les U.S.A., les chiffres sont basés sur National Center for Health Statistics, *Monthly Statistics Rates*, vol. 20, nº 12, 28/2/1972, et Bureau of the Census. *Current Population Reports*, Series P-25, nº 476, février 1972, Series D.
18. Les totaux régionaux tiennent compte de populations à faibles

effectifs, non reprises nominativement.

19. Calculé pour l'ensemble de l'Afrique du Sud et du Sud-Ouest africain (Namibie).

N.B. :

L = Estimations inférieures à 5 %.
P = Estimations inférieures à 100 $ U.S.
N.A. = pas applicables : il n'existe pas de communauté urbaine de plus de 100 000 habitants.
— = données non disponibles ou sujettes à caution.

REMARQUES GENERALES

Il n'est pas possible d'utiliser les *World Population Data Sheets* des différentes années comme des séries temporelles. Comme chaque année les informations les plus fiables sont utilisées, les sources des données varient et des changements apparemment considérables dans les « taux » d'une année à l'autre, peuvent s'expliquer, non par des changements réels, mais plutôt par une amélioration des sources, une correction des données ou une base de calcul plus récente.

Etant donné que les chiffres sont arrondis à 100 000, les accroissements de population inférieurs à ce nombre n'apparaissent pas dans le tableau.

Dans de nombreux pays sous-développés, l'exhaustivité et l'exactitude des données sont sujettes à des déficiences d'importance variable. Dans certains cas, les données reprises ici sont des estimations préparées par les Nations unies.

Pour plus d'informations sur les sources et les utilisations du *Data Sheet*, voir Population Reference Bureau, *Population Profile*, « A Decade of Growth : World Population in the 1960's », Mai 1972 — Population Reference Bureau, Inc., 1755 Massachusetts Avenue, N.W., Washington, D.C. 20036.

ORIENTATION BIBLIOGRAPHIQUE

OBSERVATION EN DÉMOGRAPHIE

Blanc R. : *Manuel de recherche démographique en pays sous-développés.* Paris, Ministère de la Coopération, I.N.S.E.E., 1962, 226 p.

Brass, W. I. : L'amélioration quantitative et qualitative des statistiques démographiques, in Caldwell, J. C. & Okonjo, C. (eds) *La population de l'Afrique Tropicale,* (trad. dir. par G. Harcourt). New York, The Population Council, 1968, 47-55.

Brass, W. I. : L'exploitation des données existantes, in Caldwell, J. C. & Okonjo, C. (eds), *La population de l'Afrique Tropicale.* Op. cit., 233-242.

Grebenik, G. : Vital Statistics, in Sills, D. L. (ed.), *International Encyclopedia of the Social Sciences.* New York, The Macmillan Company and the Free Press, 1968, vol. 16, 340-343.

Heisel, D. F. : Mesure du mouvement de la population, in Caldwell, J. C. & Okonjo, C. (eds), *La population de l'Afrique Tropicale.* Op. cit., 210-220.

Henry, L. : Réflexions sur l'observation en démographie, *Population,* 18, 1963, 2, 233-262.

Henry, L. : Problèmes de la recherche démographique moderne, *Population,* 21, 1966, 6, 1093-1114.

Mauldin, W. P. : Estimating rates of population growth, in Berelson, B. et al. (eds), *Family Planning and Population Growth.* Chicago, The University of Chicago Press, 1966, 635-653.

Mauldin, W. P. : Les enquêtes démographiques : un instrument essentiel, in Berelson, B. (ed.), *Programmes de régulation des naissances dans le monde.* New York, The Population Council, 1971, 218-229.

Nations unies : *Manuel des méthodes de recensement de la population,* Études méthodologiques des Nations unies, Série F, n° 5, vol. I, Aspects généraux d'un recensement de la population, 180 p.; vol. II, Caractéristiques économiques de la population, 83 p.; vol. III, Caractéristiques démographiques et sociales de la population, 85 p., New York, 1958.

Nations unies : *Manuel de statistique de l'état civil,* Études méthodologiques des Nations unies, Série F, n° 7. New York, 1955, 359 p.

Nations unies : *Problèmes de la statistique des migrations,* Études démographiques, 1950, n° 5, 66 p.

O.R.S.T.O.M., I.N.S.E.E., I.N.E.D., *Les enquêtes démographiques à passages répétés.* Application à l'Afrique d'expression française et à Madagascar. Méthodologie. Paris, Office de la Recherche Scientifique et Technique d'Outre-Mer, Institut National de la Statistique et des Études Économiques, Institut National d'Études Démographiques, 1971, 290 p.

Taeuber, O. : Census, in Sills, D. L. (ed.), *International Encyclopedia of the Social Sciences.* Op. cit., vol. 2, 360-364.

MÉTHODES GÉNÉRALES D'ANALYSE

Coale, J. Demeny, P. : *Méthodes permettant d'estimer les mesures démographiques fondamentales à partir de données incomplètes.* New York, Nations unies, ST/SOA/Ser. A/42, 1967, 135 p.

Coale, J. : The determination of vital rates in the absence of registration data. *The Milbank Memorial Fund Quarterly,* Forty Years of Research in Human

Fertility. Retrospect and Prospect, 49, 1971, 4 (Part 2), 175-188.

Henry, L. : *Démographie. Analyse et Modèles.* Paris, Librairie Larousse, 1972, 341 p.

Pressat, R. : *L'analyse démographique*, (2e édition). Paris, Presses Universitaires de France, 1969, 321 p.

Pressat, R. : *Démographie statistique.* Paris, Presses Universitaires de France, Collection SUP, 1972, 194 p.

Roussel, L., Gani, L. : *Analyse démographique. Exercices et problèmes,* Paris, Librairie Armand Colin, Collection U2, 1973, 217 p.

Ryder, N. B. : Notes on the concept of a population, *The American Journal of Sociology*, 69, 1964, 5, 447-463.

Shryock, S., Siegel, J. : (eds), *The methods and materials of Demography*, (2 volumes). Washington, U. S. Department of Commerce, Bureau of the Census, 1971, 888 p.

NATALITÉ

Bourgeois-Pichat, J. : Les facteurs de la fécondité non dirigée, *Population*, 20, 1965, 3, 383-424.

Henry, L. : Aspects biologiques de la fécondité, in *Proceedings of the Royal Society*, Series B, Biological Sciences, no 974, December 1963, vol. 159, 81-93.

Henry, L. : Essai de calcul de l'efficacité de la contraception, *Population,* 23 1968, 2, 265-278.

National Center for Health Statistics : *Fertility measurement.* A report of the United States National Committee on vital and health statistics. Washington, National Center for Health Statistics, Series 4, no 1, novembre 1965, 26 p.

Potter, R. G. : Estimating births averted in a family planning program, in Behrman, S. J., Corsa, L., Freedman, R. (eds), *Fertility and Family Planning. A World View.* Ann Arbor, The University of Michigan Press, 1969, 413-434.

Pressat, R. : Interprétation des variations à court terme du taux de natalité, *Population*, 24, 1969, 1, 47-56.

Ryder, N. B. : La mesure des variations de la fécondité au cours du temps, *Population*, 11, 1956, 1, 29-46.

Ryder, N. B. : The measurement of fertility patterns, in Sheps, M. C. & Ridley, J. C. (eds), *Public Health and Population Change. Current Research Issues.* Pittsburg, University of Pittsburg Press, 1965, 287-306.

Ryder, N. B. : Notes on fertility measurement, in *The Milbank Memorial Fund Quarterly*, Forty Years of Research in Human Fertility. Retrospect and Prospect, 49, 1971, 4 (Part 2), 109-127.

Sauvy, A. : Fécondité des populations. Évolution générale des recherches, *Population*, 16, 1961, 4, 699-712.

Wunsch, G. : Les méthodes d'analyse de la nuptialité : leur application au cas de la Belgique, *Recherches Économiques de Louvain*, 31, 1965, 6, 467-484.

Wunsch, G., *Les mesures de la natalité. Quelques applications à la Belgique.* Louvain, Département de Démographie, 1967, 146 p.

MORTALITÉ

Bourgeois-Pichat, J. : Essai sur la mortalité « biologique » de l'homme, *Population*, 7, 1952, 3, 381-394.

Bourgeois-Pichat, J. : Analyse de la mortalité infantile, *Bulletin démographique*. New York, Nations unies, n° 2, octobre 1952, 1-14.
Kitagawa, E. : Theoretical considerations in the selection of a mortality index, and some empirical comparisons, *Human Biology*, 38, 1966, 3, 293-305.
Ledermann, S. : *Nouvelles tables-types de mortalité*. Paris, I.N.E.D., cahier n° 53, 1969, 26 p.
Legaré, J. : Quelques considérations sur les tables de mortalité de génération, *Population*, 21, 1966, 5, 915-938.
Logan, W. P. D. : Mesure de la mortalité infantile, *Bulletin Démographique*, New York, Nations unies, n° 3, oct. 1953, 32-59.
Spiegelman, M. : Life tables, in Sills, D. L. (ed.) *International Encyclopedia of the Social Sciences*, op. cit., vol. 9, 292-299.

MOBILITÉ SPATIALE

Bogue, D. J., Hauser, P. M. : *Population distribution, urbanism and internal migration*, Nations unies, Congrès mondial de la population, Belgrade 1965, (Background paper A.3/13/E/473), 39 p.
Haenszel, W. : Concept, measurement, and data in migration analysis, *Demography*, 4, 1967, 1, 253-261.
Lee, G. S. : Migration estimates, in Kuznets, S., Thomas, D. S. (eds), *Population Redistribution and Economic Growth, United States 1870-1950*, vol. I, Methodological considerations and reference tables. Philadelphia, American Philosophical Society, 1957.
Shryock, H. S. : *Population Mobility Within The United States*. Chicago, University of Chicago Press, 1964, chapter 3 : The measurement of mobility.
Tabah, L. : Mesure de la migration interne au moyen des recensements. Application au Mexique, *Population*, 25, 1970, 2, 303-346.
Tugault, Y. : Méthode d'analyse d'un tableau « origine-destination » de migrations, *Population* 25, 1970, 1, 59-68.
Nations unies : *Méthodes de mesure de la migration interne*. New York, Nations unies, Études démographiques, ST/SOA/Ser.A/47, 1971, 82 p.

STRUCTURE ET MOUVEMENT DÉMOGRAPHIQUES

Coale, A. J. : The effects of changes in mortality and fertility on age composition, *The Milbank Memorial Fund Quarterly*, 34, 1956, 1, 79-114.
Coale, A. J. : How a population ages or grows younger, in Freedman, R. (ed.), *Population : The Vital Revolution*. New York, Anchor Books. Doubleday and Co., 1964, 47-58.
Grauman, J. V. : Population estimates and projections, in Hauser, P. M., & Duncan, O. D., (ed.), *The study of population*. Chicago, University of Chicago Press, 1959, 544-575.
Nations unies, La cause du vieillissement des populations : diminution de la mortalité ou diminution de la fécondité? *Bulletin démographique*. New York, Nations unies, n° 4, décembre 1954, 32-42.
Schwarz, K. : Influence de la natalité et de la mortalité sur la composition par âge de la population et sur l'évolution démographique, *Population*, 23, 1968, 1, 61-92.

Évoluton de la population

Coale, A. J. : The decline of fertility in Europe from the French revolution to World War II, in Behrman, S. J., Corsa, L., Freedman, R., (eds), *Fertility and Family Planning A World View*. Op. cit., 3-24.
Durand, J. : Estimation de la population mondiale de 1750 à 2000, Nations unies, *Congrès mondial de la population, 1965*, vol. II. New York, 1967, 18-23.
Freedman, R. : Exposé en tant que présentateur de la séance sur la fécondité au Congrès de Belgrade 1965. Nations unies, *Congrès Mondial de la Population, 1965*, vol. 1. New York, 1967, 38-53.
Glass, D. V. : Fertility trends in Europe since the Second World War, in Behrman, S. J. Corsa, L., Freedman, R. (eds), *Fertility and Family Planning. A World View*. Op. cit., 25-74.
Kirk, D. : Natality in the developing countries : recent trends and prospects, in Behrman, S. J., Corsa, L., Freedman, R. (eds), *Fertility and Family Planning. A World View*. Op. cit., 75-98.
Lestaeghe, R. : Le dossier de la transition démographique, *European Demographic Information Bulletin*, 1, 1970/71, 4, 218-229.
Pressat, R. : *Démographique sociale*. Paris, Presses Universitaires de France, Collection SUP, 1971, 168 p.
Reinhard, M. R., Armengaud, A., Dupaquier, J. : *Histoire générale de la population mondiale*. Paris, Ed. Montchrestien, 1968, IX + 708 p.
Stassart, J. : *Les avantages et les inconvénients économiques d'une population stationnaire*. Liège, Collection scientifique de la Faculté de Droit de l'Université de Liège, Fasc. 20, 1965, 256 p.
Stolnitz, C. J. : The demographic transition : from high to low birth rates and death rates, in Freedman, R. (ed), *Population : The Vital Revolution*, Op. cit., 30-46.

Politiques démographiques

Berelson, B. : Au-delà de la planification familiale, *Étude de planning familial*, 38, jan. 1970, 20 p.
Berelson, B. : Les programmes nationaux de planification de la famille : où en sommes-nous? *Études de planning familial*, 39 (sup.), juin 1970, 27 p.
Berelson, B., (ed) : *Population Policies in Developed Countries*. New York, The Population Council (titre provisoire, à paraître en 1973).
Bourgeois-Pichat, J., Taleb, S. A. : Un taux d'accroissement nul pour les pays en voie de développement en l'an 2000. Rêve ou réalité? *Population*, 25, 1970, 5, 957-974.
Nortman, D. : Programmes de population et de planning familial : un tour d'horizon, *Bulletin de démographie et de planning familial*, 2, janv. 1972, 71 p.
Nortman, D. : Population and Family Planning Programs : A Factbook, *Reports on Population/Family Planning*, 2 (4e ed), sept. 1972, 87 p.
Ohlin, G. : *Régulation démographique et développement économique*. Paris, O.C.D.E., 1967, 154 p.
Reynolds, J. : Evaluation of family planning program performance : a critical review, *Demography*, 9, 1972, 1, 69-86.

Index des matières

Table des matières

DES PRESSES DE GERARD & Cº
65, rue de Limbourg, B-4800 Verviers (Belgique)
D. 1973/0099/116

marabout université

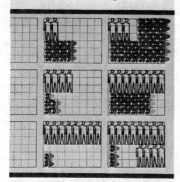

bibliothèque marabout

M.J. Moroney

comprendre la statistique

vérités et mensonges des chiffres

marabout université

Le succès et la rapide expansion des
techniques statistiques au cours de ces
dernières années prouvent à suffisance
l'intérêt qu'elles suscitent et la place
qu'elles occupent parmi les moyens
d'information modernes. Jusqu'à quel point
et dans quels domaines ce succès est-il
justifié ? Sur quels critères se fonder pour
mesurer la portée d'une étude statistique et
comment réunir les données requises pour
que l'opération se révèle payante ?
À l'aide d'exemples tirés de champs
d'application variés, M.J. Moroney explique
les principes qui délimitent l'emploi
rationnel de la statistique et permettent
d'en aborder les problèmes avec les outils
les plus adéquats. Si l'auteur se garde de
présenter sa discipline comme une panacée,
il en fait ressortir l'efficacité comme
instrument objectif de contrôle et de
sélection au service de l'industrie et de
la recherche scientifique. Il s'adresse aux
étudiants et à tous ceux qui sont appelés
à pratiquer l'art de faire parler les chiffres
et d'en interpréter les messages.

Un volume de 448 p.
Marabout Université
nº 203.

marabout université

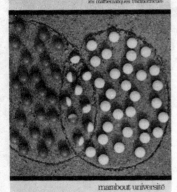

« Devant le mouvement qui se manifeste
en vue d'une rénovation de l'enseignement
mathématique, l'observateur ne peut
manquer d'être perplexe... : qu'y a-t-il
dans cette mathématique qu'on appelle
moderne ? ce que j'avais appris est-il
devenu faux ? comment arriver à comprendre
ce que font mes enfants à l'école ? »
Sans verser dans la querelle renouvelée
des anciens et des modernes, l'auteur
donne à ces questions une réponse
claire et circonstanciée, tenant
compte des connaissances comme des
besoins de l'« honnête homme » qui a
reçu une formation classique.
Professeur de mathématiques générales,
de recherche opérationnelle, d'analyse
numérique et de programmation, directeur
du Centre de calcul numérique de l'Ecole
royale militaire de Bruxelles, membre
de l'Association française pour la
cybernétique économique et technique,
Paul E. Gennart dispose de tous les
atouts pour guider le lecteur sur la voie
d'un recyclage délicat mais indispensable.

Un volume de 256 p.,
avec de nombreuses
figures in-texte.
Marabout Université
n° 187.

marabout universitē

des modifications de l'homme par lui-même
à la création de la vie en laboratoire

marabout université

Greffe du rein, greffe du cœur,
demain greffe du cerveau,
contrôle de l'activité mentale,
manipulation du code génétique,
« bébés-éprouvettes »...
Les progrès spectaculaires de la biologie
et de ses applications pratiques
permettent de parler
de révolution biologique.
Mais il serait insensé, dit G. R. Taylor,
de laisser l'avenir décider de notre sort.
Bientôt, l'homme agira sur lui-même
comme il agit sur la matière et,
au seuil de ces prodigieuses interventions,
il importe de savoir si une modification
de plus en plus profonde de l'homme
ne lui apportera que des avantages,
ou si les « ingénieurs de la génétique »
ne sont pas en train de jouer,
à nos dépens, les apprentis sorciers...
C'est l'un des nombreux problèmes
que soulève ce livre
excitant et inquiétant à la fois :
que va devenir l'homme
entre les mains de l'homme ?

Un volume de 304
pages.
Marabout Université
n° 220.

Alex Comfort
**vivrons-nous
plus jeunes
plus longtemps ?**
bilan et perspectives de la gérontologie

marabout université

Dans cet ouvrage,
centré sur l'étude de la longévité
et du processus de vieillissement,
un gérontologue mondialement connu
résume, en un langage clair
et parfaitement accessible,
les données que la science a réunies,
à ce jour,
concernant la sénescence chez l'homme
et les moyens de la contrôler.
Le Docteur Alex Comfort
nous y révèle le rôle,
dans ce processus,
de l'hérédité, des hormones,
des glandes et du sexe.
Il retrace l'histoire
des tentatives accomplies de tout temps
pour conjurer la vieillesse.
Il examine en détail
les récentes expériences de laboratoire
menées sur des animaux
et il explique ce qu'elles ont apporté
de positif et de négatif
quant à l'espoir que nourrit la science
de prolonger la jeunesse et la vie.

Un volume de 192
pages, enrichi de gra-
phiques.
Marabout Université
n° 165.

marabout université

Henri Janne
le temps du changement
une image de la société
une option politique pour l'an 2000

marabout université

Le changement est devenu si rapide
que l'homme doit s'habituer
à vivre avec lui.
Recherche scientifique, progrès technique,
croissance économique, modification
de l'environnement : si on laisse
aller les choses, qui dit que
nos conquêtes resteront compatibles
avec les libertés, la culture, voire
la survivance de l'espèce ? Aussi
Henri Janne place-t-il son exigence
réformatrice dans la perspective
d'un socialisme démocratique
fondé sur une critique en profondeur
de notre société. Refusant
l'esprit de parti et toute mythologie,
il met en œuvre les moyens
de la sociologie, de la prospective,
de l'analyse économique et de la
théorie politique. Il apporte à chacun
une réflexion résolument contemporaine
sur les problèmes de demain et un
point d'appui à l'action de ceux que
préoccupe l'accession de l'Europe
à la civilisation postindustrielle.

Un volume de 256 p.
Marabout Université
n° 212.

Herman Kahn et Anthony J. Wiener

l'an 2000
la bible des 30 prochaines années

marabout université

Comment le monde va-t-il se développer
d'ici l'an 2000 sur les plans
politique, économique, démographique,
scientifique, technologique ?...
C'est pour répondre à ces questions que
l'« American Academy of Arts and Sciences »
a constitué une commission de l'An 2000,
et c'est le bilan des travaux de cette
commission dont le présent volume propose
la synthèse. Aujourd'hui, l'humanité peut
évaluer les forces qui commandent son
destin, les maintenir ou les réorienter.
Pour la première fois, les spéculations
sur le futur sont rationnelles, car
les méthodes de la commission de l'An 2000
n'ont rien de fantaisiste ; elles
consistent à passer au crible les
statistiques et les lignes d'évolution
des cent dernières années puis, à partir
de situations présentes ou plausibles,
à concevoir divers scénarios qui peuvent
en découler. Plus passionnant que le plus
étonnant des romans de science-fiction,
ce livre restera sans doute parmi
les plus excitants de tout le XXᵉ siècle.

Un volume de 530
pages.
Marabout Université
nᵒ 225.